KB076762

22명의 소중한 이야기

22명의 소중한 이야기

발　행 | 2023년 12월 11일
저　자 | 2023 효덕초 4학년 1반 학생들
　　　　 강　건, 권혁재, 박시우, 박우솔, 이동운, 이지원, 이한율, 정민우, 조현승,
　　　　 김수연, 박수진, 박유진, 송윤주, 안지현, 이서윤, 이한설, 조서현, 조우리,
　　　　 한재은, 서현정, 박은별, 이예빈
삽　화 | 박유진, 이서윤, 조서현, 한재은, 서현정, 박은별, 이예빈
엮은이 | 이지선
표　지 | 이지선
편집 프로그램 | 미리 캔버스
펴낸이 | 한건희
펴낸곳 | 주식회사 부크크
출판사등록 | 2014.07.15.(제2014-16호)
주　소 | 서울특별시 금천구 가산디지털1로 119 SK트윈타워 A동 305호
전　화 | 1670-8316
이메일 | info@bookk.co.kr

ISBN | 979-11-410-5807-4

www.bookk.co.kr
© 2023 효덕초 4학년 1반
본 책은 저작자의 지적 재산으로서 무단 전재와 복제를 금합니다.

22명의 소중한 이야기

2023 효덕초 4학년 1반 학생들 지음

여는 글

늘 바라보고 늘 지나가는
평범하다고 생각했던 우리 주변을
천천히 살펴봅니다.

하늘, 구름, 나무, 꽃...
그 하나하나를 자세히 바라보다 보면
재미있는 생각과 감정들이 솟아납니다.

그 생각과 감정들을
그냥 흘려보내기 아쉬워서
주제 글쓰기라는 시간을 통해
글로 표현해 보았습니다.

우리 아이들의
소박한 감정의 표현 들을
다듬고 모아서
한 권의 책으로 만들었습니다.

아이들의 눈과 마음이 되어
함께 읽어주시면 감사드리겠습니다.

9월의 어느 날

운동장에서 함께 바라보았던 하늘

하늘을 보고,

구름을 보고,

주변을 살피며

무엇을 느끼고

어떻게 표현했을까요?

차 례

1 나의 선택은?

문단, 중심 문장, 뒷받침 문장에 대해
알아보았습니다.

그리고 제시된 2가지 중
한 가지를 선택하고,
그것을 선택한 까닭을 생각하여
글을 써 보았습니다.

▲ 산과 바다, 어디에 갈까?
📘 책 읽기와 그림 그리기, 무엇을 할까?

⛰ 산과 바다, 어디에 갈까?

바다

강 건

바다에서는 바다도 볼 수 있고 바다에서는 회를 먹을 수 있고 물고기도 볼 수 있고 배를 타면 시원하다.

시원한 바다로!

박시우

저는 산과 바다 중 바다가 좋습니다.

산에 좋지 않은 기억이 있고 모기가 많이 나오기 때문이고, 시원한 바다에서 파도를 맞으면서 수영을 할 수 있기 때문입니다.

그리고 물이 없으면 갯벌에서도 놀 수 있고 맛있는 회와 해산물을 먹을 수 있기 때문입니다.

맑은 공기를 마시러 산으로

박우솔

제가 산으로 가고 싶은 이유는 산에 가면 살면서 보지 못했던 것이나 실제로 보고 싶은 신비한 생물을 볼 수 있어서 좋습니다.

그리고 봄, 여름, 가을, 겨울 다 멋진 풍경을 볼 수 있습니다.

봄과 여름은 꽃이 피고 초록 초록 합니다.

가을은 단풍이 들고 겨울은 하얀 눈이 쌓입니다.

마지막은 나무가 많아 공기가 맑습니다.

이런 장점이 있으니까 산으로 놀러 가요!

산으로 가자

이동운

저는 바다보다 산이 좋습니다.

이유는 운동도 되고 가족들도 다 산을 좋아하기 때문입니다.

그리고 여러 가지 종류의 곤충을 볼 수 있고 산에서 맑은 공기를 맡을 수 있기 때문입니다.

바다로 가서 놀자

정민우

바다로 가서 놀고 나서 수박을 먹은 후 소화 좀 시키고 다시 바다로 들어갔다. 수영도 하고 저녁에는 마시멜로도 먹고 고기도 먹었다. 아 내년 여름 때 가고 싶다.

시원한 바다

이한율

저는 산과 바다 중 바다를 가고 싶습니다.

바다는 수영도 할 수 있고 맛있는 바다 음식도 먹을 수 있기 때문입니다. 예쁜 바다 동물들도 볼 수 있고 멋있는 파도도 볼 수 있습니다. 그래서 바다를 가고 싶습니다.

재미있고 시원한 바다

안지현

제가 가고 싶은 곳은 바다입니다.

왜냐하면 바다는 시원하고 수영을 할 수 있고 재미있게 놀 수 있어서 저는 바다에 가고 싶습니다.

시원한 정상으로!

조현승

저는 산과 바다 중 산으로 가고 싶습니다.
왜냐하면 새로운 식물과 동물도 볼 수 있어서입니다.
건강한 나무도 볼 수 있어서입니다.
올라가느라 땀을 많이 흘렸는데 시원한 정상에 앉아 휴식을 취하면서 땀을 식힐 수 있어서입니다.

더울 땐 시원한 바다

김수연

여름이 되면 먼저 바다로 떠나고 싶습니다.
시원한 바닷물에 바로 뛰어가고 싶습니다.
바다에서 수영을 하고 싶습니다.
이제 다 놀면 시원한 과일 참외, 수박을 바로 먹고 싶습니다.

산에 가면 할 수 있는 일

박유진

저는 산과 바다 중 산에 가고 싶습니다.
왜냐하면 산에 가서 등산을 하며 맑은 공기를 마시면 기분이 좋기 때문입니다.
그리고 산에 가서 등산하면 운동도 되고, 정상에 가서 풍경을 보며 도시락을 먹으면 힐링이 되고 뿌듯하기 때문입니다.

재미있는 바다

송윤주

저는 산과 바다 중 바다에 가고 싶습니다.

왜냐하면 바다에 가면 재미있는 물놀이를 할 수 있고 해산물을 먹거나 캘 수 있고, 시원한 바람과 시원한 파도를 볼 수 있으니 너무 재미있습니다. 그래서 저는 바다에 가고 싶습니다.

시원한 바다

이한설

바다로 가자. 시원한 바다로!

물놀이를 하고 기념사진도 찍고 너무 좋다.

수영도 하고 재밌다.

갈매기가 하늘 위를 자유롭게 날아다닌다. 너무 귀엽다.

나는 바다가 시원해서 좋다.

바다

서현정

전 산과 바다 중 바다에 가고 싶습니다.

바다에서는 수영을 할 수 있고 게, 소라게, 문어, 조개 등 여러 생물들이 있습니다. 그리고 낚시도 할 수 있습니다.

저는 낚시를 좋아하기 때문에 바다가 더 좋습니다.

바다로 가자

조우리

저는 바다에 가고 싶습니다.

왜냐하면 물놀이를 할 수 있고 요트도 탈 수 있기 때문입니다.

또 잘하면 바다거북도 만날 수도 있고 회도 먹고, 아빠를 바다로 던지고 싶기 때문에 저는 바다로 가고 싶습니다!

산은 힘들어, 바다는 좋아

한재은

나는 시원한 바다를 좋아한다.

산은 오르기 너무 힘들다. 그런데 바다는 힘들지도 않고 수영도 할 수 있다. 그렇기 때문에 나는 바다가 좋다.

바다

박은별

저는 산과 바다 중에서 바다가 좋습니다.

왜냐하면 산도 좋긴 하지만 첫째, 바다에서는 배낚시를 할 수 있습니다.

그리고 두 번째로 바다에 물이 빠지면 갯벌에서 조개, 낙지 등을 캘 수 있기 때문입니다.

그리고 마지막으로 바다에는 해산물 음식점 등 맛있는 것을 먹을 수 있기 때문입니다.

여러분들은 산과 바다 중에서 무엇이 가장 좋나요?

📓 책 읽기와 그림 그리기, 무엇을 할까?

책이 좋은 까닭

권혁재

책을 읽으면 머리도 좋아지고 시간도 잘 간다.
책 읽는 것은 즐겁다.

책이 더 좋아요.

이지원

그림을 그리면 손이 아프다. 그래서 난 책을 읽을 것 같다.
책을 읽으면 빠르게 잘 읽을 수 있고 차례를 빨리 넘길 수 있어서 책을 추천한다.

그림이 더 좋아!

박수진

저는 책 읽기와 그림 그리기 중 그림 그리기를 더 좋아합니다.
왜냐하면 그림을 그리고 싶고 색칠을 할 수 있기 때문입니다.
또 여러 가지 그림을 그릴 수 있기 때문에 책 읽기보다 그림 그리기가 더 좋습니다.

창의력이 최고인 그림 그리기

이서윤

저는 책 읽기와 그림 그리기 중에서 그림 그리기가 더 좋습니다. 왜냐하면 그림 실력이 원래보다 더 많이 좋아지기 때문입니다. 그리고 재미있습니다. 여러 가지 색으로 칠하는 게 재미있고, 다 그리고 나서 보면 뿌듯하기 때문입니다.

마지막은 창의력이 많이 생겨서 머리가 좋아집니다. 또 그림에 대해 이해를 하게 됩니다,

저는 책 읽기가 좋지만 그래도 그림 그리기가 더 좋습니다.

그림은 항상 재미있다.

조서현

아침에 해도 좋고 점심에 해도 좋고
저녁에 해도 좋고 언제 해도 좋아.
그림 그리는 건 재미있고 상상력을 키울 수 있어.

2 내가 좋아하는 것들

감각적 표현이 무엇인지

알아보았습니다.

감각적 표현을 사용하여

글을 좀 더 실감 나고 재미있게

써 보았습니다.

❀ 내가 좋아하는 계절

🍉 내가 좋아하는 과일

🐾 내가 좋아하는 동물

📓 내가 좋아하는 과목

❄ 내가 좋아하는 계절

봄

이지원

나뭇잎이 송송 자랍니다
바람이 휙휙 불어옵니다.
꽃이 송송 하나씩 자랍니다
새가 파닥파닥 납니다.

여름

이한율

여름이다
땀이 주룩주룩
수영장으로 풍덩
수영장에서 신나게 낄낄대며 웃자!
수박 한 입 맛있다

가을이 좋아

박수진

바람이 "휘리익!" 시원하고
나무에 있는 잎이 "슈욱"
떨어지는 잎이 예쁘다.
계속되었으면 좋은 가을!
가을아! 그동안 있어 줘서 고마워

내가 좋아하는 계절

박은별

가을이 왔네요!
가을엔 하늘이 파릇파릇!
가을엔 나뭇잎이 알록달록!
가을엔 나뭇잎이 바스락! 바스락!
날씨가 쌀쌀!
이쁜 가을
가을이 왔네요!

퐁실퐁실 겨울

한재은

나는 겨울이 좋다.
겨울이 오면
퐁실퐁실 침대에서 쿨쿨

나는 겨울이 좋다.
겨울이 오면
뽀득뽀득 눈사람

나는 겨울이 좋다.
겨울이 오면 시원하다.

겨울

정민우

내가 좋아하는 계절 겨울
스키장에 가서
스노보드를 탈 수 있고
눈싸움도 할 수 있으니까

재미있는 겨울

송윤주

눈이 펑펑 내리는 겨울
너와 내가 즐기는 겨울
겨울엔 사람들 웃음소리가 꺄르르 꺄르르
눈을 밟으면 뽀드득 뽀드득
집에 돌아와 먹는 따끈따끈 고구마
정말 즐거운 겨울

눈 오는 겨울

이한설

우와! 눈이 퐁퐁퐁 내려와요!
헉! 눈이 수북이 쌓였어요!
데굴데굴 웃차! 아이들이 눈사람을 만들어요!
휘- 휘- 바람이 불어요!
이런 엣추! 감기에 걸렸어요.

🍉 내가 좋아하는 과일

맛있는 귤

권혁재

탱글탱글
맛있는 귤
주황빛이
반짝반짝 나네

복숭아

조현승

복숭아 한입 물면 아삭아삭
한입 물면 말랑말랑
동글동글 복숭아 맛있는 복숭아

샤인머스캣

박유진

푸릇푸릇 샤인머스캣
한 입 깨물면 입에서 톡! 톡! 터지는
샤인머스캣
계속 먹고 싶은 상큼한 샤인머스캣

수박

이동운

커다란 초록 검정 무늬
칼로 자르니
잘 익은 울긋불긋한 수박이네
한입 베어 무니
아삭아삭 촉촉한 수박
새콤달콤
정말 엄청 맛있네.

내가 좋아하는 망고랑 애플망고

김수연

노란 망고랑 빨간 애플망고

먹으면 입 안에서
과즙이 팡팡! 달콤 달콤

한번 먹으면
또 먹고 싶어지는 망고, 애플망고

샤인머스캣

안지현

초록색에 동글동글
먹으면 달콤달콤
만지면 탱글탱글

계속 먹고 싶은
샤인머스캣

블루베리

서현정

동글동글 파란색
데구르르르

이게 뭐지?

먹으면 달콤 새콤 맛있다!
맛있는 블루베리

🐾 내가 좋아하는 동물

빠른 치타

강건

빠른 치타를 소개합니다.
치타의 특징은 빠르고 사냥을 잘합니다.
그리고 치타는 아프리카 사막에 살고
표범과 비슷하게 생겼습니다.
치타는 고기를 많이 먹습니다.
그리고 치타는 육지에서 가장 빠른 동물입니다.

강아지

박시우

제가 좋아하는 동물은 강아지입니다.
강아지는 밤낮으로 두 번 정도 산책을 합니다.
강아지의 생김새는 뾰족한 귀와 귀여운 몸,
꼬리, 다리에 전부 털이 있습니다.
사는 곳은 종류에 따라 다르고
신체도 종에 따라 다를 수 있습니다.
그중에도 진돗개는 천연기념물이기도 합니다.

멋진 늑대 거북

박우솔

내가 좋아하는 늑대 거북에 대해 설명하겠다.

이름은 늑대거북. 거북이와 똑같다.

주로 사는 곳은 습지대다.

알에서 태어나 여러 천적 때문에 새끼는 살아남기 힘들다.

먹이는 주로 생선을 먹는다.

내가 늑대 거북을 좋아하는 이유는 멋져서이다.

귀여운 고양이

조서현

야옹~ 들리는 이 목소리 아주 귀여운 고양이

밥 달라고 야옹~

간식 달라고 야옹~

놀아 달라고 야옹~

계속 야옹~ 대체 뭐해 달라고 하는지

참~ 이해가 안 되네

우리 집 거북이를 소개합니다.

조우리

저는 거북이 두 마리를 키웁니다.

첫째는 이름이 꺼북이. 생일은 1월 28일이고 둘째보다 5분 형입니다. 두 살이고 너무 귀엽고 착하고 돼지고 애들한테 인기가 많고 귀엽습니다. 그리고 둘째는 이름이 꼬북이고 막내이며 생일은 꺼북이랑 똑같습니다. 두 살이고 귀엽지만 성격이 날카롭고 돼지이며, 애들한테 사랑받고 너무 잘생겼습니다!

📓 내가 좋아하는 과목

내가 좋아하는 과목은 음악, 체육, 수학!

이서윤

내가 좋아하는 과목은 음악, 체육, 수학이다.
음악은 리코더가 재밌고
체육은 피구, 술래잡기 종류가 재밌다.
수학은 분수의 덧셈과 뺄셈이 재밌다.
배우는 내용은 음악에서는 노래
체육에선 축구, 피구 등
수학에선 분수, 삼각형, 곧 소수를 배운다.
나는 세 과목 중 1순위는 음악
2순위는 체육 3순위가 수학이다.
음악, 체육, 수학 최고!

3 내 이야기 쓰기

겪은 일을

구체적으로 쓰는 방법에 대해

알아보았습니다.

겪은 일을 쓰는 일은

신나고 재미있었습니다.

♪♪ **즐거웠어요!**

🌸 **기억에 남는 4학년 활동!**

♪ 즐거웠어요!

캠핑장 간 날

강 건

토요일에 경기가 끝나고 축구단 형, 친구, 동생들하고 캠핑장에 갔다. 캠핑장에 축구를 하는 곳이 있어 축구를 했다.

캠핑장에 가서 기분이 좋았었다. 다음에도 또 가고 싶다.

설레고 기쁜 날

박시우

나는 인천에 갈 때마다 설렘과 기쁨이 넘쳐납니다.

왜냐하면 인천에 가면 친척 형, 누나들과 게임 하는 것과 놀러 가서 노는 게 너무 즐겁기 때문입니다.

나는 인천에 갈 때 너무 즐겁습니다.

겨울에 바다 갔던 일

박우솔

작년 3학년 겨울방학 때 가족과 바다로 여행을 갔다.

겨울이어서 물놀이를 못 했지만 그래도 괜찮다. 왜냐하면 우리가 갈 숙소 안에 수영장이 있었기 때문이다.

그래서 난 숙소에 가자마자 씻고 수영장에 갔다. 나왔다가 들어 갔다를 반복하며 놀았다.

놀다가 밤이 되었고, 우리 가족은 준비했던 폭죽을 쏘았다.

다음에 또 가고 싶다.

문경새재 등산

권혁재

지난 10월에 나는 문경새재에서 가족과 함께 등산을 했다. 되게 힘들었다. 그래도 자연 공기를 마시고 즐거웠다.

인생 첫 롤러코스터

이동운

추석 때 아빠가 놀이공원에 가자고 했다.

그래서 도착하자마자 바로 롤러코스터를 타러 신나게 뛰어갔다.

하지만 줄이 너무 길어서 2시간이나 기다려서 겨우 탔다. 롤러코스터를 타고 위로 올라갔는데 산보다 높이 올라갔다.

그러더니 매우 빠르게 내려가 360도를 두 번 돌고 옆으로 기울며 움직였다.

정말 재미있었던 체험이었고 다시 타고 싶었지만 퍼레이드를 보아야 해서 아쉽게 돌아갔다.

인생네컷

이한율

11월의 어느 일요일, 우리 반 애들이랑 시내에 가서 인생네컷을 찍고 탕후루, 떡볶이도 같이 먹었다.

집으로 갈 때 하늘채에서 이야기도 하고 놀았다.

재밌었다.

치킨 먹은 날

이지원

오늘 엄마가 회식에 가셨다.

그래서 아빠가 치킨을 사 오셨다.

아그작 아그작 냠냠 치킨을 먹었다. 엄마가 안 계셔서 맛이 좀
없었다.

즐거운 제주도 여행

조현승

내가 7살 때 친척들과 제주도에 놀러 갔다.

제주도에서 유명한 곳도 찾아 다니면서 놀았다.

그렇게 놀다가 밤이 되어 숙소에서 친척들과 놀다가 잠이 들었고,
다음날 다시 비행기를 타고 집으로 돌아왔다.

제주도에 가니 재미있었고 다시 가서 못 가본 곳도 가고 싶다.

가족들과 좋은 여행 간 날

김수연

6월 어느 토요일에 가족들과 갑자기 여행을 가게 되었다.

먼저 바닷가에 도착하고 나와 언니는 재밌게 놀았다.

바다에서 다 놀고 숙소에 가서 조금 쉬었다가 다시 계곡에 가서
언니와 물놀이를 했다.

이제 저녁이 되어 숙소에서 밥을 먹고 잠잘 준비를 했다.

다음날에는 공룡박물관에 가서 사진도 찍었다.

너무 행복했다.

생존 수영

박수진

4학년 다 같이 생존 수영을 배우러 갔습니다.

먼저 준비 운동을 하고 물에 들어가니까 차갑지만 시원하기도 했습니다.

물에 뜨는 방법을 배웠는데 재밌고 뭔가 편했습니다.

생존 수영을 배우니까 재밌었습니다.

지금은 못 하지만 다음에도 하고 싶습니다.

캠핑

박유진

오랜만에 캠핑이 가고 싶어서 10월 첫째 주, 가족과 함께 캠핑 하러 가기로 했다.

거의 2년 만에 가는 캠핑 이어서 너무 기대되고 설렜다. 가보니 너무 재미있었다.

다음에 또 가고 싶다.

재미있는 영통

안지현

나는 어제 발레 친구들이랑 영통을 했다.

영통을 하면서 발레 친구들이 로블록스를 하자고 해서 로블록스 를 했다. 그리고 상황극도 하고 발레 연습을 했다.

너무 재미있었다.

다음에도 또 해야지!

즐거운 나의 생일파티

송윤주

12월 17일은 나의 생일이다.

집에서 가족들과 생일파티를 하였다. 미역국, 잡채, 케이크 등 맛있는 음식도 먹을 수 있어서 정말 좋았다.

밥을 다 먹은 후 내가 케이크에 있는 초를 후후 불어서 껐다. 그러고 난 뒤 가족들과 친구들이 준 선물을 뜯어 보았다.

언니는 볼펜, 동생은 간식, 엄마는 지갑을 사주었다.

가족들 덕분에 내가 태어난 것이 너무 기쁘다는 것을 느낄 수 있는 하루가 되었던 것 같다.

캐리비안베이

이서윤

10월 2일은 내 생일!

3학년 내 생일 때 생일선물로 가족과 캐리비안베이에 갔다.

우리는 파도 풀과 유수 풀에 갔다.

파도 풀은 나랑 아빠랑 갔다가 엄마하고도 갔다.

유수 풀은 다 같이 갔는데 유수 풀이 제일 재미있었다. 파도 풀은 물을 많이 먹었지만, 유수 풀은 안전하고 재밌기 때문이다.

나는 너무 재미있었고 시간이 가지 않았으면 좋겠다고 생각했다.

내 생일이 한 달에 한 번씩 있었으면 좋겠다고 생각했다.

아, 너무 재미있었다.

경주 불국사 여행

이한설

경주 불국사로 여행을 가기 전, 집에서 공책에 경주의 역사에 대해 적었다. 엄마, 아빠, 오빠에게 들려줄 생각에 너무 신난다!

경주 불국사에 다녀온 다음 수영복을 입고 바닷가로 출발했다.

헉! 파도가 엄청 세게 온다. 앗 따가워! 눈에 바닷물이 들어갔다.

그래서 이제 바닷가 말고 수영장으로 갔다. 수영장의 깊이와 온도가 딱 적당해서 좋았다.

씻고 밥을 먹으러 식탁으로 갔다. 엄청 맛있었다.

숙소 근처에 고양이가 있길래 내려가서 놀아주었다.

너무 즐거웠다.

파자마 파티

한재은

윤주와 우리 집에서 파자마 파티를 했다.

저녁에 김치볶음밥을 먹고 놀았다.

새벽이 되었는데 배가 고파 엄마 몰래 새벽에 나가서 불닭볶음면을 사 왔다.

집에서 불닭볶음면을 끓여서 먹고 밤을 새기로 했다. 밤을 새다가 5시에 아이스크림을 사러 가기로 했고, 너무 졸려서 30분만 자기로 하고 잤다.

30분이 지나서 일어났는데 또 너무 졸려서 30분을 더 자자고 해서 더 잤고, 일어나보니 오전 9시여서 깜짝 놀랐다.

윤주를 깨워 밥을 먹고 조금 놀다가 윤주는 집에 돌아갔다.

떡라면

조서현

보글보글 이 냄새는! 앗싸! 오늘은 떡라면이다.
엄마는 냄비를 가지고 밖에 나왔다.
라면 완전 맛있겠다. 먼저 먹어야지!
호로록! 역시 라면은 맛있어.
떡도 먹으면 쫀득 쪽득. 역시 내가 원하던 맛이다.
가족들이랑 오순도순 모여 걱정 없이 낄낄 깔깔 웃으며 먹는다.
역시 최고의 날이다.

가족들과 즐거운 펜션

박은별

작년 겨울방학, 집에서 부모님이 말씀하셨습니다.
"얘들아, 오늘 펜션 가자!
은별이가 말했습니다.
"우와 신난다!"
펜션에 도착하자 오빠들과 은별이는 수영을 하러 갔습니다.
언니와 엄마는 노래방에서 노래를 부르고, 아빠는 텔레비전을 봤습니다.
저녁이 되어 맛있는 음식을 먹었습니다. 소화를 다 시킨 후, 언니, 오빠들과 은별이는 수영하러 갔습니다.
"풍덩!"
그렇게 수영을 다 하고 놀이도 하고 게임도 했습니다.
다음날이 되어 집으로 돌아가게 되었습니다.
은별이는 가족들과 즐거운 추억을 만들었답니다!

가족들이랑 즐거웠어요.

정민우

내가 즐거웠던 날은 놀이동산에 갔던 날 이다.

바이킹, 회전목마, 범퍼카도 탔고 사격도 하고 풍선 터트리기도 했고 귀신의 집에도 갔다. 우리 가족과 친가 가족도 같이 갔다.

엄청 재미있었다.

소풍정원은 재밌어!

조우리

몇 달 전 주말에 재은, 윤주, 지아랑 소풍정원에 갔다.

거기서 사진 찍고, 그네 타고, 라면 먹고, 후식 먹고, 키링 달고 했다. 그리고 재은이와 윤주가 거북이를 봤다고 해서 너무 신기했다.

다음에 또 다른 애들이랑도 가보고 싶다.

그리고 재은 윤주가 지아랑 한층 더 가까워진 것 같아서 너무 좋았다. 앞으로도 같이 여행을 가면 더 철저히 준비해서 갈 거다.

춘식이를 사다!

서현정

난 지난주 일요일 카카오 샵에 갔다.

"와 진짜 귀엽다!"

동생은 다른 걸 갖고 싶어 해 아빠에게 졸랐다.

나는 마침 바디 필로우가 필요했는데 잘 됐다고 생각했다.

그래서 춘식이를 샀다. 꼭 꿈속인 것 같았다. 너무 좋아!!!

집에 와서는 꼭 안고 자기 위해 포장을 뜯었다.

저녁에 안고 잤는데 구름같이 폭신했다.

🌺 기억에 남는 4학년 활동!

재미있는 생존 수영

강 건

5월, 생존 수영을 배우러 우리 반 친구들과 오썸 플렉스에 갔다.
생존 수영을 배웠다. 다 끝난 후 자유시간이 주어졌다.
그래서 미끄럼틀을 탔는데 너무 재미있었다.
친구들이랑 생존 수영을 배우러 가서 재미있었다.
다음에도 오썸 플렉스에 가고 싶다.

자전거 안전교육

권혁재

자전거 안전교육을 시작했다.
자전거 안전교육에서 두발자전거를 탈 수 있는 사람은 두발
자전거를 타고 못 타는 사람은 페달이 없는 것으로 연습했다.
자전거를 안전하게 타는 법을 배웠는데 너무 재미있었다.
또 했으면 좋겠다.

놀이의 날

정민우

놀이의 날에 영화를 봤다. 영화 인사이드 아웃을 봤다.
그 다음엔 시장 놀이를 했다. 건담 발바토스와 미니 건담을 사고
포켓몬 카드를 샀다. 진짜 재미있었다.
마지막으로 가가볼을 했다. 재미있었다.
다음에도 했으면 좋겠다.

효덕 축제

박시우

11월의 첫 금요일, 효덕 축제를 하였다.

오자마자 9시에 부스 체험을 준비하여 부스 체험을 시작하였다.

우리는 축구부 체험을 준비하였다. 체험하러 오는 친구들이 상당히 많았다.

또 마술공연을 관람했고 마지막에 4학년 장기자랑 공연도 했다. 너무 재미있었다. 5학년 때도 하겠지?

즐거운 생존 수영

박우솔

5월에 생존 수영을 배우러 갔다.

생존 수영 장소는 워터파크 였다.

처음에는 조금 힘들었지만 재밌었다.

선생님이 마지막 날까지 말을 잘 들으면 자유시간을 주신다고 하셨다. 우리는 그때부터 말을 잘 들었다.

첫날 무슨 수업을 했는지 기억나지 않지만 물 적응 훈련을 했다. 재미있고 신났다.

다음 학년에 또 가고 싶다.

재미있는 학급축제

이동운

11월의 첫 금요일, 드디어 기다리고 기다리던 학급축제를 하는 날이었다. 1, 2교시는 동아리 부스 체험을 했다.

나는 A팀이어서 25분 동안 3반 체험을, 25분 동안 2반 체험을 운영했다. 50분이 지나서 나도 체험팀이 되었다.

나는 2반 체험에서 페이스 페인팅, 볼링, 슬라임, 철사 공예를 했고, 3반 체험에서는 페이스 페인팅, 큐브, 그림 그리기, 팔찌 만들기를 했다.

3, 4교시에는 재미있는 마술공연을 관람했다.

첫 번째 마술은 우산 마술이었다. 여러 가지 색의 천으로 우산을 만드는 마술이었다.

두 번째 마술은 비눗방울의 크기를 변화시키면서 매우 많이 만드는 공연이었다.

세 번째 마술은 풍선 마술이었다. 풍선으로 검을 만들고 쥐기만 하면 바람이 빠지는 풍선, 그리고 풍선 강아지를 만들었다. 그렇게 3, 4교시가 끝났다.

점심시간이 지나고, 축제의 메인! 장기자랑 시간이었다.

나는 1반 장기자랑의 메인 노래 및 배경음악을 틀어주는 역할이었다.

장기자랑의 종류에는 개그팀, 노래, 춤이 있었다.

그리고 장기자랑 시간이 끝났다.

나는 정말 재미있는 하루를 보냈다.

인생네컷

이한율

오늘 학교에서 점심시간에 인생네컷을 찍는다고 했다.

그래서 밖에 못 나가서 짜증이 났다.

인생네컷을 찍었다. 현승, 건, 시우랑 찍었다.

사진의 색깔이 빨간색이어서 이상했다.

그런데 재밌었다.

즐거운 효덕 축제

박수진

11월의 첫 금요일에 학교 축제를 했다.

1~2교시에는 동아리 부스 체험을 했다. 해보니 시간이 짧아서 동아리 부스 체험을 다 하진 못했다. 그래도 재미있는 걸 많이 해서 좋았다. 그리고 진행을 서둘러야 해서 조금 힘들었다.

3~4교시에는 3학년이랑 같이 마술공연을 2시간 동안 봤다.

우산 마술도 보여주고 풍선 마술도 했고, 비눗방울 마술도 했다.

그리고 마술사님이 풍선을 다 하나씩 주었다. 그게 감동이었다. 마술공연이 끝났는데 아쉬웠다. 왜냐하면 나는 마술을 보는 걸 좋아해서 더 보고 싶었기 때문이다. 그래도 엄청 재미있었다.

마지막 5교시에는 4학년 장기자랑 공연을 했다.

우리 반부터 장기자랑을 했는데 나는 장기자랑을 안 했지만, 친구들이 하는 장기자랑은 멋있었다. 다른 반도 멋있었고 재미있었다. 그리고 다음에도 또 하고 싶었다.

오늘도 좋은 하루였다.

놀이의 날

이지원

놀이의 날 1교시에 영화를 보았다.
1교시가 끝나고 2교시는 시장 놀이를 하였다. 9,800원을 벌었다.
못 판 물건은 헬멧이다. 그래도 기분이 좋았다.
3교시는 즐거운 교실 놀이 시간이다. 교실 놀이 시간에는 가가
볼을 하였다. 아쉽게 아웃 되었지만 재미있었다.
그리고 4교시는 퀴즈 대회를 하였다. 아쉽게도 4개를 맞췄다.
뽑기를 뽑아서 간식 하나를 받았다.
문제를 많이 맞힌 친구는 뽑기를 4개, 5개를 뽑았다. 좀 슬펐다.
그래도 놀이의 날은 재미있었다.

효덕 축제

조현승

11월의 첫 금요일에 효덕 축제를 했다.
친구들이 한 팀씩 나왔다.
나의 차례가 되었을 때 심장이 두근거렸다.
내 차례가 되어서 해보니 정말 재밌었다.
다른 친구와 다른 반 친구들을 보니 웃겼고 춤도 잘 추었다.

지현이랑 공기했던 날

김수연

오늘 점심시간에 지현이랑 공기를 했다.

먼저 지현이가 하고 그다음 내가 했다. 4단계에서 지현이 차례가 왔다. 지현이가 도전했는데 성공했다. 그 전보다 진짜 실력이 늘었다고 생각했다.

지현이가 5단계에서 공기 알 1개를 먹고 1단계를 하는 데 실패했다.

나도 4단계를 했는데 성공했다. 그리고 5단계를 했는데 나도 한 살을 먹었다.

지현이와 공기를 계속했는데 예비종이 울려서 2살로 무승부가 되었다. 너무 재미있었다!

마법 텃밭

서현정

한 달 전쯤 우리 반은 학교 텃밭에 알타리무와 시금치를 심었다. 심은 지 2주 후 다시 텃밭에 왔는데 작은 시금치가 뾱! 나와 있었다.

아주 빠르게 2주가 지나고 시금치를 수확하기로 했다. 나는 너무 설렜다. 선생님과 친구들이 밖으로 나가자 나도 밖으로 따라나갔다. 텃밭을 가보니 생각한 것보다 은근 커서 기분이 좋았다.

선생님께서 시금치를 따주셨다. 난 시금치로 시금치 무침을 만들려고 행복한 상상을 했다. 시금치를 따고 다른 학년 것도 보았는데 아주 잘 크고 있었다. 알타리무에게 물도 주고 교실로 들어갔다. 잘 커서 기분이 날아갈 것 같았다.

난 생각했다. 마법 텃밭. 학교 텃밭은 마법의 텃밭 같다.

즐거운 학급축제

박유진

1, 2교시는 동아리 부스 체험
3, 4교시는 마술쇼~!
내 눈으로 처음 보는 마술이어서 정말 놀랍고 신기하기도 했다.
비눗방울을 불 때도 우리가 상상하지 못한 독특한 방법으로 비눗방울을 만들었다.
그 다음엔 공연을 했다.
난 5번째 순서였다.
그렇게 떨리진 않았지만, 내 차례가 다가오니 심장이 엄~~청 두근두근, 콩닥콩닥 거렸다. 무대에서 실수할까 봐 걱정도 되고, 잘 마칠 수 있을까 하는 생각도 들었다.
조금 실수를 했지만 무대는 잘 마쳤다.
정말 정말 즐겁고 행복한 하루였다.

즐거운 놀이의 날

조서현

1교시 :아주 재미있는 영화 야호! 재미있게 봐야지!
2교시: 물건을 사고팔 수 있는 플리마켓 어! 사야지!
3교시: 가가볼 손을 펑 튀기면 점프할 수 있다! 열심!
점심: 아주 맛있다 얌 굿!
5교시: 독서 퀴즈 이건! 내가 아는 것 나!나!나 알아
이날이 또 오기를 바라며 신나게 놀자!

놀이의 날

송윤주

오늘은 놀이의 날이다. 체험학습을 가지 못해 선생님께서 준비해 주신 놀이의 날이다.

인사이드 아웃이라는 영화를 보았다.

나의 머릿속에도 영화에 나오는 주인공들이 있다는 생각을 하니 더 재미있게 볼 수 있었다.

그리고 3교시에는 플리마켓을 하였다.

플리마켓에서 다양한 물건들을 샀다. 4학년 1, 2, 3반 친구들끼리 물건을 주고받으니 더 재미있었다.

4교시에는 가가볼 이라는 공 게임을 하였다. 탈락이 될까 두근두근 하였다.

5교시에는 4학년 장기자랑 공연을 했다.

이제 모든 놀이가 끝났다. 정말 재미있어서 또 하고 싶다.

생존 수영

안지현

5월에 생존 수영을 갔다.

나는 수영하는 게 무서웠는데 하다 보니까 수영을 조금 할 수 있게 되었다.

마지막 생존 수영 수업은 선생님이 놀이시간을 주셨다. 그래서 놀이를 했다. 슬라이드도 타고 친구랑도 놀았다. 너무 재미있었다.

나는 생존 수영 시간 중에서 마지막 시간이 가장 재미있었다.

다음에도 생존 수영에 가고 싶다.

재밌고 힘들었던 놀.이.의. 날!

이서윤

오늘은 놀이의 날이다. 학교에 와서 영화 티켓을 꺼내 팝콘과 영화를 봤다.

본 영화제목은 '인사이드 아웃'이다. 인사이드 아웃을 보면서 우는 애들이 있었다.

영화를 다 보고 시장 놀이를 했다. 약간 처음에는 부끄러웠다. 그래도 재밌긴 했다. 그리고 생각보다 많이 팔려서 기분이 좋았다. 한 5,300원 정도 벌었다.

시장 놀이가 끝나고 체육 놀이를 했다.

두 가지 놀이를 해야 하는데 한 가지 밖에 못했다. 한 놀이는 가가볼인데, 가가볼은 약간 피구 형식이다. 너무 재밌었다.

그다음 독서 골든벨을 했다. 수수께끼 소녀 책과 우리 반 친구들이 낸 문제였다. 나는 문제를 절반 정도 맞췄다.

내년에도 있었으면 좋겠다.

친구들과 대피 훈련

이한설

선생님이 우리 안전을 위해 대피 훈련을 한다고 했다.

그래서 대피 훈련 영상을 보고 있었다. 그런데 갑자기 사이렌이 울렸다. 그래서 우린 황급히 운동장으로 대피했다.

그런데 운동장에는 소방관 아저씨가 계셨고, 우리에게 소화기 사용하는 법을 알려주셨다. 그래서 우리 반 회장이 나가서 소화기로 불을 끄고 왔다

나는 대피 훈련이 너무 좋다.

효덕 축제

오늘은 효덕 축제다!

수, 목요일에 너무 아파서 쉬었더니 친구들이 너무 보고 싶었다.

친구들이 카톡을 했다. 오늘은 보조 가방만 챙겨와도 된다고 해서 들고 올 때 편했다.

지현이와 유진, 서윤, 윤주를 만났다.

반으로 들어가자 동아리 부스 체험 준비를 했다.

드디어 수업 시간이 되었다 첫 손님이 왔다. 폰을 켜 『1초 듣고 노래 맞추기』를 틀어 체험을 운영했다. 간식도 나누어 주었다.

벌써 내가 체험할 시간이 되었다.

1~2교시가 끝나 하이라이트 공연을 보았다. 마술이라 별로 재미는 없었지만 비눗 방울이 조금 재미있었다.

3~4교시가 끝나 드디어 기대했던 마지막 장기자랑을 하는 시간이다! 내 심장이 두근두근 뛰었다. 재은이와 한설이의 버블 춤이 끝나 드디어 우리 차례가 되었다.

지현, 우리, 나 이렇게 위잉위잉 노래를 불렀다. 노래가 끝나 자리로 갔는데, 너무 부끄러웠다.

오늘 너무 재미있었다!

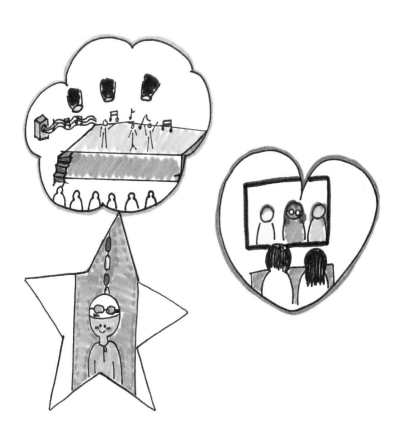

4 주변에 관심 갖기

주변 사물에 대해 자세히 쓰려면
어떻게 해야 하는지 알아보았습니다.

어떻게 하면 시를 잘 쓸 수 있는지
알아보았습니다.

날씨 좋은 어느 가을날,
핸드폰으로 멋진 사진을 담고,
그 사진 속 장면을 시로 표현해 보았습니다.

🍀 **학교 주변을 주제로 '폰카 시' 쓰기**

❄ 학교 주변을 주제로 '폰카 시' 쓰기

시소

강 건

알록달록한 시소

시소를 타면 시원해진다.

시소를 타면 하늘을 나는 것 같다.

배롱나무

권혁재

아름다운 분홍빛

배롱나무에

살랑살랑

나타나네.

뻥 뚫린 하늘

박시우

높은 하늘
푸른 하늘
뻥 뚫린 하늘

맨날 이렇게
날씨가 좋으면
어떨까?

소나무

박우솔

뾰족뾰족
소나무잎
울퉁불퉁
소나무 기둥
살랑살랑
소나무잎이
바람에 날리는 소리
탁탁 탁탁
소나무 기둥이
부딪치는 소리

푸른 하늘에 하얀 솜사탕

이동운

뜨거운 햇빛이 날 감싸네.

하늘을 올려봤더니

푸른 바다 같은 하늘과

새하얀 솜사탕이 날고 있네.

저긴 차 모양

저긴 네모 모양

푸른 하늘은 바다같이

참 아름답네.

효덕초등학교 하늘

푸른 하늘에
작은 구름이 둥둥 떠다닌다.

옆에는 신관이 있다.

하늘을 보면 스트레스가 풀린다.
구름이 두둥실 왼쪽으로 간다.

호랑이 동상

이한율

효덕초등학교에 있는
호랑이 동상
숲 안에 있는
호랑이 동상
너무 귀엽다.

이순신 장군 동상

정민우

이순신 장군 동상은
이순신 장군님이 얼마나 위대한지
학생들에게 알리고 싶었어요.
그래서 동상으로 만들었지요.
이순신 장군님 고맙습니다.

고마운 나무

조현승

고마운 나무
우리에게 공기를 주는
고마운 나무
나쁜 공기를 깨끗하게 만들어 주는
나무야 고마워!

뾰족한 장미

장미 색깔은 새빨간 색

장미 줄기엔 뾰족한 가시들

가시를 만지면

아야!

줄기 옆엔 가시가

뾰족뾰족

56   22명의 소중한 이야기

푹신푹신한 하늘

박수진

포근포근한 하늘이 있네.
푹신푹신한 포근한 하늘
있을 때마다 포근한 하늘 너!
고마워 하늘아!

하늘과 구름

박유진

맑은 하늘
새파란 하늘
하얀 구름
동글동글 구름
항상 내 곁을 지키는
하늘 그리고 구름

놀이터

송윤주

미끄럼틀은 슈우욱
그네는 쌩쌩
철봉은 아아...
모래놀이는 까르르 까르르
띵뚱띵 쉬는 시간이 끝나는 종이 울린다.
아.... 아쉽다.

구름

이서윤

뭉게뭉게 구름
너무 예쁘다.
솜사탕처럼 생긴 구름
폭신폭신한 구름
만져 보고 싶은 구름
한번 먹어보고 싶다.

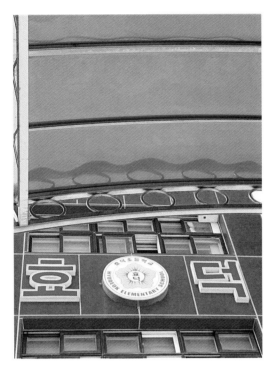

사랑해 효덕

효덕초등학교
아이들이 깔깔

선생님 소리가
호호

정말 행복해

4 주변에 관심 갖기   61

수국

조서현

아주 예쁜 수국
정말 예쁘다.
역시 수국은
내 눈에
제일 예쁘다.
바람이 솔~솔~
꿀도 먹고 싶다.

구름은 너무 이뻐

조우리

구름이 둥실둥실 떠다니네.
나무가 살랑살랑 흔들리네.
바람이 솔솔 부네.
"아 시원해 ~"

화요일 중간 놀이

한재은

화요일은 운동장 쓰는 날

친구들은

축구를 하려고

운동장에 간다.

운동장에서

뛰면 다리가

따끔따끔

그래도 꾹 참고 한다.

새싹

서현정

톡!
씨가 흙 이불 덮고
뻑!
씨가 흙에 뿌리를 내리고
쑥!
싹이 나와
쭉!
새싹이 햇빛과 인사 하네

나무가 흔들흔들

바람이 살랑살랑 불면

나무가 흔들려요.

바람이 쌀쌀 불면

나무도 쌀쌀

바람이 세게 불면

나무도 똑같이 쌩쌩

나무가 흔들려요.

66   22명의 소중한 이야기

바람

이예빈

바람이 살랑살랑 분다.
나무도 살랑살랑
흔들린다.
내 마음도
겨울바람에 살랑살랑
흔들린다.

5 마음 전하기

내 마음을 글로 어떻게 전할 수 있을지
알아보았습니다.

편지글의 구성 요소를 알아보았습니다.

마음을 전하는 말을 표현하며
편지를 써 보았습니다.

♥ 가족에게 고마운 마음
☺ 친구에게 고마운 마음

♥ 가족에게 고마운 마음

엄마 아빠께

강 건

엄마 아빠, 저 건이에요.
엄마 아빠, 저를 낳아주셔서 감사해요.
그리고 저를 평택 시티즌이라는 축구단에 다니게 해주셔서 감사해요.
또 저와 매일 놀아주셔서 감사해요.
엄마 아빠, 사랑해요.

부모님께

박우솔

부모님의 둘째 아들 박우솔이에요.
낳아주시고 길러주셔서 감사합니다.
저를 위해 여러 가지를 가르쳐 주신 것도 감사합니다.
앞으로 건강하게 살게요.
앞으로 건강하세요.

부모님께

권혁재

안녕하세요? 혁재입니다.
저를 키워주셔서 감사합니다.
늘 밥을 잘 챙겨 주셔서 감사합니다.
안녕히 계세요.

가족에게 고마운 마음 편지

박시우

안녕하세요.
첫째아들 박시우입니다.
태어나게 해주시고 원하는 거 하게 해주셔서 감사합니다.
수영도 보내주고 밥도 매일 해줘서 감사합니다.
앞으로도 건강하고 오래오래 사세요.

사랑하는 할머니께

이동운

안녕하세요? 저 손주 동운이에요.
매일 맛있는 음식을 해주셔서 감사하고, 갖고 싶은 물건을 사주셔서 감사합니다.
또 늘 칭찬을 해주셔서 감사합니다.
저를 키워주시느라 힘드셨을 텐데 저를 멋지게 키워주셔서 감사합니다.
저는 처음엔 엄마가 아닌 할머니께서 키우시는 게 이상했어요.
그런데 할머니께서 키우는 게 점점 자랑스러워졌어요.
할머니도 힘드실 텐데 저를 키워주셔서 감사합니다.
사랑해요. 할머니!

엄마 아빠께

이지원

저를 키워주셔서 감사합니다.
저를 태어나게 해주셔서 감사합니다.
어린이날 선물로 축구화를 사주셔서
정말 감사합니다.

To. 엄마 아빠께

이한율

안녕하세요?
저 한율이에요
절 키워주시고 낳아주셔서 감사합니다.
그리고 제 생활 속에서 도와주셔서 감사합니다.
엄마 아빠, 사랑하고 존경합니다.
그럼 안녕히 계세요.

부모님께

정민우

엄마 아빠, 저를 낳아주셔서 감사합니다.
엄마 아빠에게 고마워요. 다음에도 감사합니다.
나중에 100만원 드릴게요.
할아버지 할머니도 100만원 드릴게요.

To. 제일 사랑하는 엄마 아빠에게

박수진

엄마 아빠, 안녕하세요? 수진이에요.
그동안 잘 일하고 있으세요?
엄마께서는 맛있는 요리를 해주시고
용감하게 해주셔서 감사하고,
아빠께서는 잘 놀아주시고 맛있는 걸 사 주셔서 감사합니다.
그리고 엄마 아빠 저를 키우시고 낳아주셔서 감사합니다.
엄마 아빠, 그러면 늘 건강하시길 바라요.
안녕히 계세요!

To. MoM & DaD

박유진

엄마, 아빠 안녕요~ 나 유지니예요.♡
엄마 진, 나, 이를 낳아줘서 정말 고마워요.
덕분에 너무너무 행복해요♡
아빠! 일하는 거 힘들 텐데 울 가족을 위해
매일매일 열심히 일해줘서 고마워요♡
엄빠~ 슬플 때나 기쁠 때나
항상 옆에 있어 줘서 고마워요~
그리고 진, 나, 이를 키워주셔서 정말 정말 고마워요!
사랑하고 감사해요. 엄마! 아빠! 안녕~~

To. 엄마께

송윤주

안녕하세요? 저 둘째 딸 윤주에요!
매일 제가 학교와 학원에 있을 때
집안일을 해주셔서 감사합니다.
그리고 매일 준비물을
빠짐없이 잘 챙겨 주셔서 감사합니다.
앞으로 말 잘 듣는 딸이 될게요!

To. 사랑하는 엄마 아빠에게

김수연

안녕하세요? 엄마 아빠! 저는 수연이에요!
맨날 예뻐해 주고, 예쁘게 낳아주고, 선물을 사주셔서 감사합니다!
맨날 잘해준 거 없다고 울지 마시고!
맨날 회사에서 다치지 마시고요!
맨날 다치고 오시면 제 마음이 아파요.
저희 걱정하지 마시고
회사 일에만 집중해요!
사랑해요!

사랑하는 아버지 어머니께

안지현

아버지 어머니, 안녕하세요? 저는 지현이입니다.
제가 아플 때 곁에 있어 주셔서 감사합니다.
그리고 항상 저에게 맛있는 음식을 만들어 주셔서 감사합니다.
그리고 아버지 어머니, 힘들 때에는 힘들다고 생각하시지 마시고
제가 있으니까 힘내세요.
그리고 항상 저에게 따뜻한 말을 해주셔서 감사합니다.
그럼 안녕히 계세요.

부모님께♡

이서윤

안녕하세요?
저는 부모님의 첫째 딸 서윤이에요.
저를 항상 태어났을 때부터 키워주시고
소중하게 다뤄주셔서 고맙습니다.
엄마, 항상 맛있는 요리를 해주시고
집안일, 이제 회사까지 다니고 해서 감사합니다.
아빠, 엄마보다 더 오랜 시간 동안 회사에서 일을 해
저희 맛있는 음식을 사주셔서 고맙습니다.
그럼 안녕히 계세요. 사랑해요~♡

사랑하는 어머니 아버지에게

이한설

안녕하세요? 저는 한설이입니다.

저희가 아플 때 항상 곁에 있어 주셔서 감사해요.

항상 "배고파"라고 할 때 맛있는 밥을 해주셔서 감사해요.

저는 어머니 아버지랑 있을 때가 가장 행복해요.

항상 감사하고 사랑하고 또 사랑해요.

건강하게 오래오래 사세요.

그럼 여기까지 하겠습니다.

엄마 아빠는 내 옆에만 있어 주세요.

조서현

엄마 아빠, 항상 즐겁게만 해주시고,

어디 갈 때마다 사주시고

잘 놀아주셔서 감사합니다.

그러니까 이제는 제 옆에 있어 주세요.

이제는 제가 엄마 아빠에게 효도할게요.

앞으로도 건강하고 행복 합시다.

To. 어머니께

조우리

어머니! 안녕하세요. 저 어머니 딸입니다.
어머니 항상 맛있는 음식을 해주셔서 감사해요!
힘들 때나 기쁠 때나 항상 옆에 있어 주셔서 감사하고
어릴 때 저를 돌봐주셔서 감사해요.

언니에게

박은별

하은이 언니! 우리 같은 가족이잖아?
나 항상 언니한테 하고 싶은 말이 있었어.
그건 바로! 항상 내 곁에 있어 줘서 고마워.
나도 항상 언니 곁에서 응원해 줄게.
언니 알지? 어른 되서 나랑 같이 살자!
난 이런 언니가 있어서 너무 행복해!
우린 나이 차이가 많이 나지만 그래도 친한 게 어디야!
난 오빠보다 언니가 엄청 좋아. 고민 있으면 나한테 말해!
우리 항상 싸우지 말자. 그럼 이만 안뇽!

To. 동생

서현정

무영아! 있잖아. 너에게 어찌저찌 편지를 쓰게 됐어.
너에게 할 부탁이 있어. 첫째 말을 잘 들어!!!! 그리고 장난으로
그만 좀 쳐!!!! 하지만 나에게 소중한 동생이니 고마웠던 적도 있어.
엄마에게 혼날 때 네가 날 덜 혼나게 해줬어. 고마워!

☺ 친구에게 고마운 마음

건이 에게

조현승

건이야, 안녕? 난 너의 친구 현승이야.
내가 기분이 안 좋을 때
공감해주고 위로해 주어서 고마워.
그리고 내가 수학 문제를 풀 때 도와주고,
내가 심심할 때 같이 게임도 해주고 축구 해줘서 고마워.
그리고 축구 기술도 알려주고 축구공도 빌려줘서 고마워.
지금처럼 우리 싸우지 말고 계속 친하게 지내자.

수연이에게

한재은

안녕? 나 재은이야.
수연아 1학년 때부터 4학년 지금까지
같은 반이라서 정말 좋았어.
그리고 우리가 지금까지 친구였던 이유는
네가 먼저 말을 걸어줘서 정말 좋았어.
그리고 먹을 것을 나누어주어서 고마웠어.
우리 더 많은 추억 만들도록 더 많이 친해지자.
그럼 안녕!

6 독서 감상문 쓰기

매일 책을 골라 읽었습니다.

다 읽고 나면

그 내용이 마음에 오래 남고

그 내용을 오래 기억해 두고 싶은

책이 있습니다.

그 책에 대한 감상을

글로 표현해 보았습니다.

📝 **독서 감상문 쓰기 대회 응모작**

📝 독서 감상문 쓰기 대회 응모작

가방 들어주는 아이를 읽고

강 건

제가 읽은 책은 가방 들어 주는 아이입니다.

2학년이 되는 새 학기 첫날, 영택이가 전학을 오며 시작되는 이야기입니다. 영택이는 다리가 불편해서 목발을 했습니다. 그리고 석우라는 아이가 영택이의 짝꿍이 되었습니다.

영택이와 석우는 집에 가는 방향이 같아서 석우가 영택이의 가방을 들어주어야 했습니다. 학교가 끝난 후 석우는 반 친구들과 축구를 해야 했지만, 영택이의 가방을 계속 들어주었습니다.

그러던 어느 날, 석우의 친구들이 떡볶이를 먹자고 했습니다.

석우는 영택이에게 떡볶이를 먹고 가방을 들어준다고 했지만, 영택이는 화를 내며 자기가 가방을 들겠다고 그냥 가버렸고, 석우는 떡볶이를 먹으러 갔습니다. 그러다 석우가 영택이를 보게 되었고, 영택이를 찾아 영택이의 집 앞으로 갔을 때, 그 날이 영택이의 생일임을 알게 됩니다. 그래서 영택이네 집에서 생일 파티를 같이 하고 더 친한 친구 사이가 되었습니다.

그리고 3학년이 되어 둘은 서로 다른 반이 되었지만, 석우는 계속 영택이의 가방을 들어주었습니다.

가방 들어주는 아이 이야기는 우리 주변에서도 있을 수 있는 일이라 생각했습니다. 그리고 내가 만약 석우였다면, 석우처럼 열심히 영택이를 도와줄거라고 생각했습니다.

마지막에 둘이 친한 사이가 되어서 좋았습니다.

크리에이터가 간다.

권혁재

하준이가 유튜버를 시작했다.

하준이가 처음에는 번개라는 고양이를 찍으려고 했다. 근데 번개가 빨라서 찍는 것은 어려웠다. 지금은 얌전히 있었다. 지금이 찬스였다. 근데 경비 아저씨가 고양이를 내쫓아서 고양이 영상을 못 찍게 되었다. 내 생각에는 처음부터 게임 유튜버를 했으면 좋을 것 같았다.

그리고 어느 날 하준이가 집에 가고 있었는데, 경비 아저씨가 수상한 짓을 하고 있었다.

하준이가 그걸 보고 수상한 아저씨 1탄을 만들었다. 좀 있다가 2탄을 만든다. 그리고 3탄까지 만든다. 그래서 하준이가 인기를 얻었다. 그리고 경비아저씨가 하는 일을 더 살펴보는데 이제 경비 아저씨가 수상한 일을 하지 않아서 찍을 게 없었다.

그래서 이번에는 멧돼지가 나오는 골목으로 갔다. 거기에서 번개를 발견했다. 번개가 밥을 먹고 있었다. 사실 경비 아저씨가 밥을 주고 있었다. 그렇다. 경비 아저씨는 번개의 아빠였다.

아파트에서는 주민들이 싫어해서 그랬다고 했다. 내가 봤을 때에는 경비아저씨가 착한 것 같다.

그리고 경비 아저씨께 위기가 찾아왔다. 왜 그러냐면 임금이 올라서 해고 될 수 있었다. 하준이가 안절부절했다. 하준이 엄마가 괜찮을 거라고 했다. 그리고 하준이가 민원 카페에 경비 아저씨 칭찬 글을 썼다.

어느 날 하준이는 학교에서 끝나자마자 경비실로 뛰어갔다. 그런데 경비실에 아무도 없었다. 다행히 경비아저씨는 5동 뒤에 쓰레 받기를 들고 서 있었고, 경비 아저씨는 하준이를 반겼다.

하준이가 아주머니 괜찮으시냐고 물었고 경비아저씨는 걱정해줘 서 고맙다고 했다. 그리고 하준이는 경비아저씨가 처음에 수상한 아저씨인 줄 알았다고 했다. 그래서 경비아저씨가 껄껄 웃었다.

그리고 경비실 쪽에서 부녀회장이 경비 아저씨를 불렀다. 하준이 도 같이 갔다. 부녀회장이 경비아저씨에게 화를 낸다. 그걸 보고 왜 화내냐고 따졌다. 그래서 부녀회장이 어이가 없어서 화를 못 냈다.

이 책을 지은 작가는 요즘에는 유튜버가 대세여서 이 동화를 썼다고 한다.

나도 흥미롭게 읽게 되었고, 우리 아파트를 지켜주시는 경비아저씨 께도 감사한 마음을 갖게 되었다.

젓가락 달인

박시우

내가 이 책을 읽게 된 이유는 선생님께서 독후감 대회에 응모해 보자고 하셔서 어떤 책을 고를까 고민하다가 읽게 되었다.

근데 생각보다 재미있어서 독후감을 쓰게 되었다.

이 책의 주인공인 우봉이의 학교에서 반끼리 젓가락 대회를 하기 로 했다. 그래서 우봉이 반 친구들이 젓가락 대회를 위해 열심히 노력하는 그러한 내용이다. 그중에서 나는 우봉이가 포기하지 않고 끝까지 연습한 게 자랑스러워 보였다.

그리고 또 다문화가족의 딸인 주은이라는 친구도 대단하게 보였다. 다문화가족을 존중하고 놀리지 말자는 이런 이야기도 나와서 인상 깊게 읽었다.

또 우봉이 반 친구들이 악어 입 탁탁 권법, 농게 집게발, 구리구리 딱딱구리, 쏙쏙 족집게 수법 등 자신이 젓가락질로 이름을 지어 권법, 수법을 만드는 게 너무 재밌고 웃겼다.

나도 1학년 때 나무젓가락, 쇠젓가락으로 콩을 집어서 선생님이 옮기라고 숙제를 주셔서 집에서 많이 연습했던 기억이 떠올랐다. 우리는 그렇게 대회까지 하지는 않았지만 재미있었다.

또 우봉이가 할아버지를 좋아하지 않았던 것 같은데 연습 하면서 친해지는 게 보기 좋았다.

나도 언젠가 동생을 때려서 할아버지가 그 일로 화를 내시고 크게 혼내신 적이 있어서 할아버지와 사이가 좋지 않아 할아버지와 다시 친해지고 싶은데, 시골을 별로 안 가서 그런 기회가 없어 아쉽다.

그리고 우봉이의 할아버지가 틀니를 쓰시고 밤에 주무실 때 왜 소금물에 넣는지도 궁금했다. 또 우봉이가 연습하다 물집이 잡혀 아파하는 걸 보고 나도 운동하다 물집이 잡혀 아픈 적이 있어서 공감이 되었다.

그래도 우봉이가 물집이 잡혀도 연습하는 게 물집이 잡혀 아파서 한번 포기할 만한데 그러지 않아서 기특했다. 그래서 아주 재미있었다.

이 책을 아직 읽어보지 않았다면, 한번 읽어봐도 좋을 것 같다.

나도 젓가락질을 잘하진 않아서 우봉이처럼 포기하지 않고 연습해야겠다.

유령과 할머니

이 책을 읽게 된 계기는 엄마가 책을 한 권 읽어보라고 권해 주셔서 읽게 되었다.

이 책의 등장인물은 유령과 할머니이다.

할머니와 유령 둘 다 공포영화를 좋아한다. 그리고 할머니와 유령은 늘 월요일에 영화를 본다.

그러던 어느 월요일이었다.

유령은 영화관에 가려고 했지만 이가 너무 아팠다. 그래서 하는 수 없이 치과에 갔다.

치과에는 사람이 많았고, 그래서 신문을 읽으며 기다리다 보니 자기 차례가 되었다. 치과에 아무도 없었기 때문이다.

유령은 밝은 곳에서는 보이지 않기 때문에 진료실에 들어가 커튼을 치고 불을 껐다.

의사는 유령을 보고 겁에 질렸다. 유령은 짜증이나 이 틀을 놓고 갔다. 의사는 겁에 질려 소리를 질렀다. 간호사도 그 소리를 듣고 같이 소리를 지르며 도망갔다. 으악.. 나였어도 너무 무서웠을 것 같다.

영화를 보러 갔던 할머니는 어쩔 수 없이 집으로 돌아갔다.

의사를 찾아 돌아다니던 이 틀은 실수로 할머니의 입에 들어갔다. 그래서 할머니의 입에서 두 개의 목소리가 나오기 시작했다. 이상함을 느낀 할머니는 치과에 갔다.

그 시각 유령은 투덜투덜 거리고 있었다. 그리고 이 틀을 가지러 가야 한다는 것이 떠올랐다.

6 독서 감상문 쓰기   83

유령도 치과에 가기 시작했다. 그렇게 유령과 할머니는 치과에서 만났다. 만나서 이야기도 나누고 그러다 보니 서로 같은 점이 많아 서로 친구가 되었다. 친구가 되어 한 일들은 마법의 물약 만들기, 마법의 카펫 만들기 등 여러 이상한 것들을 만들었다.

또 어떤 이상한 약을 할머니가 키우는 메피스토라는 고양이에게 먹였는데 메피스토가 말을 하기 시작했다. 고양이가 말을 하다니.. 너무 신기할 것 같다.

유령과 할머니가 이렇게 좋은 친구가 되어 기분이 좋다. 앞으로도 재미있는 일을 함께 하며 좋은 친구로 잘 지냈으면 한다.

고양이 해결사 깜냥 5

이동운

할머니께서 이 책이 재미있다고 추천해 주셔서 읽어보았다.

이 책의 제목은 고양이 해결사 깜냥 5 였다.

첫 시작은 깜냥이 편의점 주인이랑 눈이 마주치고 얘기를 나누는 것으로 시작된다.

깜냥은 다른 고양이와 다르게 도망가지도 않고 오히려 주인을 매섭게 노려보았다.

시간이 조금 흐른 뒤 편의점 주인의 친구가 튀김집을 하는데 튀김기계에 손을 데어 병문안에 가야 하는 상황에 처하자 깜냥이 가게를 맡고 있겠다고 말하고, 주인이 깜냥에게 부탁을 한 후 병문안을 가게 된다.

시간이 또 흐른 뒤 물건 이송일을 하는 아저씨가 와서 싸인을

받으려고 하자 깜냥을 보고는 놀라 눈이 커지게 나타낸 장면이
웃겨서 인상 깊었다.

배송 온 물건을 확인하고 정리를 하고 있었는데 손님이 오셔서
계산을 하러 갔다. 편의점 주인이 계산하는 모습을 잘 봐두어 계
산할 줄은 알았다.

계산을 끝마치고 다시 정리를 하려고 하자 뭔가 이상했다. 도시
락 세 개를 나란히 놓았는데 하나가 소세지와 핫바 사이에 놓아
져 있었다. 다시 정리를 끝마치고 계산대에서 손님이 들고 온 빈
병을 계산하여 돈을 드리고 다시 정리대에 갔는데 또 도시락이
이상한 곳에 있었다.

범인을 잡으려고 기다리자 하얀 고양이를 잡았다. 하얀 고양이는
고양이가 알바를 한다는 것은 처음 본다며 놀라워 했다. 하얀 고
양이는 하품을 많이 해 깜냥이 하품이라는 이름을 지어 주었다.

남자 손님이 오셔서 계산을 하려고 하자 계산대에서 "1+1행사
상품입니다."라는 말이 나왔고 그 뜻은 하나를 사면 하나를 더
준다는 뜻이라고 하품이가 알려주었다. 밖에서 남자 손님의 동생
이 기다리고 있던 거였다.

시간이 지나 밤이 되자 아이 네 명이 와서 생일파티를 위해 필
요한 것들을 사고 나가자 아이 한 명이 더 와서 같이 생일파티를
하고 단체 사진도 찍었다.

다음 날 아침 깜냥이 편지를 남기고 다시 모험을 떠나러 떠났다.

시리즈별로 나오는 깜냥의 모험 이야기 중에서 우리 주변에 있
는 편의점 알바를 하는 내용은 정말 재미있고 흥미로웠다.

마법사 똥맨

이지원

이 책은 3학년 때 온책 읽기 수업으로 읽었던 책인데, 재미있게 읽었던 기억이 나서 다시 꺼내어 읽어보게 되었다.

주인공 동수는 어느 날 등굣길에 똥이 마려웠다.

학교에 갔는데 수업 시작을 했다.

1교시가 끝날 시간에 선생님께 말하고 화장실로 갔다. 그런데 반 친구들이 화장실로 와서 동수를 놀렸다. 동수는 참았다. 갑자기 친구들이 물을 막 뿌려서 동수는 울었다. 그래서 친구들은 도망을 갔다. 그 후로 친구들은 동수를 똥수라고 불렀다.

그리고 동수가 집에 가는 길에 오창일이 동수에게 부메랑을 줬다.

동수 짝꿍 고기남은 사고뭉치다. 선생님도 고기남을 싫어한다.

고기남은 술래잡기 놀이를 했는데, 어떤 누나들이 반 친구들이 심어 놓은 상추를 뽑아 도망갔고, 고기남이 억울하게 혼나고 반성문까지 썼다.

그리고 고기남은 수업 시간에 화장실을 갔다. 그런데 친구들이 놀리지 않았다. 그래서 동수도 똥을 잘 쌀 수 있게 되었다.

나도 학교 화장실에서 똥을 싸면 친구들에게 놀림 받을까봐 학교 화장실에서 하지 않을 것 같다. 학교에서 똥 마려울 때는 참고 집에가서 똥을 쌀 것이다.

그리고 고기남은 억울할 것 같다. 고기남은 상추를 안 뽑았는데 고기남이 혼나서 억울할 것 같다.

또 동수는 학교에서 똥을 쌌는데 친구들이 물을 뿌려서 억울할 것 같다.

나였으면 아는 친구라도 선생님한테 말할 것이다.

그리고 내가 동수 친구였다면, 동수가 놀림 받을 때 친구들에게 놀리지 말라고 했을 것이다. 그럼 동수도 편하게 똥을 쌀 수 있고 똥수라는 듣기 싫은 별명도 듣지 않았을 것 같다.

정말 재미있게 읽은 책이었고 우리가 학교생활 중에 일어날 수 있는 이야기여서 더욱 흥미로웠다.

초록 고양이

이한율

이 이야기는 국어 시간 수업 중에 교과서 속 이야기로 알게 되었어. 그리고 뒷이야기는 내가 상상하여 지어내는 거였지. 그렇지만 나는 진짜 뒷이야기가 어떤 내용인지 너무 궁금해져서 이 책을 찾아 읽게 되었다.

내용은 엄마가 이를 닦으러 욕실로 갔는데 엄마가 나오지 않아서 딸인 꽃담이가 욕실 문을 열고 들어왔는데 아무도 없었어.

그때 초록 고양이가 나타나 엄마를 찾고 싶냐고 물었어. 꽃담이는 당연히 엄마를 찾고 싶다고 했고, 초록 고양이는 꽃담이를 동굴로 데리고 갔어.

동굴에는 항아리 40개가 놓여 있었고, 항아리 40개 중에 한 곳에 엄마가 있는데 찾을 수 있는 기회는 단 한 번 이고, 두드려 봐서도 안 되고 엄마를 불러서도 안 된다고 했어.

꽃담이가 "내가 찾으면 어떻게 할건데?"라고 말하자 초록 고양이는 엄마를 돌려준다고 말했어.

꽃담이가 "겨우 그뿐이야?" 하고 말하자 초록 고양이는 "빨간 우산을 줄게."라고 대답했어.

그걸로 뭘 할 수 있느냐고 꽃담이가 묻자 초록 고양이는 비올 때 쓸 수 있다고 말했어. 특별함이 없는 그냥 빨간 우산일 뿐이었던거야.

그리고 꽃담이는 40개의 항아리 중 엄마 냄새가 나는 항아리를 찾아 엄마를 찾게 되었어. 아마 빨간 우산도 받았겠지?

그러던 어느 날, 이번에는 꽃담이가 없어진거야.

초록 고양이가 나타나서 "꽃담이를 찾고 싶으세요?." 하고 물었고, 엄마는 당연히 그렇다고 하셨어.

초록 고양이는 엄마를 동굴로 데리고 왔지.

마찬가지로 항아리가 40개 놓여 있었고 한 개의 항아리에 꽃담이가 있으니 단 한 번의 기회로 찾으라고 말했어. 항아리를 두드려서도 안 되고 불러도 안 된다고 했지.

그러자 꽃담이 엄마가 말했어.

"내가 꽃담이를 찾으면 넌 뭘 해줄건데?"

"꽃담이를 집으로 보내 드릴게요."라고 초록 고양이가 대답하자 꽃담이 엄마는 "그뿐이야?" 하고 다시 물었고, 초록 고양이는 신고 있던 노란 장화를 주겠다고 했어.

엄마는 항아리를 밀어서 깨트려 꽃담이를 찾았고, 엄마 없이 심술만 부리는 초록 고양이를 가족으로 맞이하여 함께 살기로 했어.

이 이야기를 읽고 느낀 점은 초록 고양이에게 엄마가 없는 것을 알고 함께 살기로 한 꽃담이 엄마의 마음이 따뜻한 것 같다고 생각했어. 초록 고양이가 엄마가 없다고 할 때 안쓰럽고 불쌍한 마음도 들었는데, 꽃담이와 가족이 되어 너무 다행이라는 생각이 들었어. 이제 더 이상의 심술은 부리지 않겠지?

이순신

정민우

나는 집에 있는 책 중에 이순신 책을 꺼내 읽게 되었다. 책 표지에 있는 이순신 장군의 당당하고 힘이 느껴지는 모습에 마음이 끌려 이 분의 일생과 업적에 대해 자세히 알아보고 싶은 마음이 들었다.

이순신은 어렸을 때부터 칼싸움 활싸움 등 다양한 연습을 하여 아이들 사이에서 대장 노릇을 하였고, 아이들이 자연스럽게 따랐다.

아이들과 놀 때는 자연스럽게 놀았지만 무술을 배울 때 만큼은 누구보다 집중하여 무술을 배워 어른들에게 인정을 받았고, 자신이 생각했을 때 옳지 않은 일이면 아이와 어른 상관 없이 따져 들어 무릎을 꿇게 했다.

이순신 어머니는 이순신의 성격을 보며 이순신이 커서 누구보다 크게 되기를 바랐다.

이순신은 크면서도 무술을 열심히 배워 높은 자리인 문관보다 무관을 택했으며, 무관에서도 시험에 억울하게 떨어 졌지만 다음 시험에서는 당당하게 합격해 당당한 무인이 되었다.

이순신은 누구보다 정직하게 살았으나 누명으로 인해 옥에 갇히면서 장군으로서 치욕적인 백의종군이라는 누명을 받게 되었다. 하지만 이순신은 포기하지 않고 여진족과 열심히 싸워 마침내 벼슬이 회복되었다.

그 후 왜적이 침입할 것을 예견하여 거북선을 만드는 한편 군사들 훈련에도 신경 쓰며 군사력을 키우며 일본이 침입하자 당황하지 않고 거북선 12척으로 왜적 100척과 싸워 이겼다.

하지만 전쟁 중 왜 적의 총에 맞으면서도 나의 죽음을 적에게 알리지 말라 하고 숨을 거두고 말았다.

수많은 모함을 받아도 마지막까지 나라를 살리려고 나라에 충성을 다한 이순신의 애국심을 본받아야겠다.

나 역시 나라를 아끼고 사랑하는 마음을 가져야겠다는 생각도 해보았다.

다신 일어나지 않으면 좋겠을 전쟁!

조현승

나는 우리나라가 또 다신 다른 나라 에게 지배되지 않길 바라는 마음으로 이 책을 읽었다.

이 책은 우리나라가 북한과 전쟁이 일어났을 때의 이야기다.

6.25 전쟁이 일어났을 때 우리나라는 북한으로 들어가서 통일하자며 북진통일을 외쳤다.

1949년 6월 소련군이 떠나간 한반도에서 미군들은 철수를 시작했다.

1950년 6월25일 새벽 4시 38도 산 전역에서 포탄 소리가 천지를 뒤흔들었다. 그리고 갑자기 북한군이 선전 포고도 없이 대포와 탱크를 앞세우고 전면 공격에 나섰다. 북한군의 갑작스러운 공격으로 국군은 힘 한 번 써 보지도 못하고 줄줄이 무너져 버렸다.

대한민국의 수도인 서울은 전쟁이 터진 지 3일 만에 북한군들의 손에 넘어가 버렸다.

한반도에서 전쟁이 터졌다는 소식에 미국군들은 부랴부랴 유엔 안전 보장 이사회를 소집했다.

전쟁이 시작한 지 사흘 만에 서울을 점령한 북한군은 열흘 뒤 오산까지 밀고 내려와서야 처음으로 전투다운 전투를 벌였다.
　부산을 통해 올라온 미군 제24사단 선발대와 맞붙게 되었다. 북한군은 가볍게 미군을 물리쳤다. 사기가 오른 북한군은 남쪽을 향해 파죽지세로 내달렸다.
　7월 말에는 진주와 목포, 8월 초에는 김천과 포항을 점령했다. 남동부인 부산, 대구, 마산, 포항을 제외한 남한 영토 대부분을 점령했다.
　그동안 남한 정부는 갈팡질팡 수도를 옮겨 다녔다. 서울에서 대전으로 대전에서 대구로 대구에서 부산으로 하루가 멀다하고 옮겨 다녀야 했었다.

　1960년 4월 19일 국민들의 시위는 절정에 이르렀다.
썩은 정치를 도려내고 빼앗긴 국민의 권리를 되찾자! 라고 국민들이 소리쳤다. 분노한 학생들은 국회 의사당과 중앙청 대통령이 있는 경무대와 이기붕의 집으로 몰려갔다. 다급해진 경찰들은 국민들에게 총을 쏘아댔다. 앞줄에 있던 사람들은 낙엽처럼 쓰러졌지만 학생들은 물러나지 않았다. 그날 수많은 사람들이 총탄에 쓰러졌다. 무려 101명이 죽고 456명이 다쳤다. 그래서 이날을 피의 화요일이라고 부른다.
　이 많은 과정과 노력으로 지금 나는 우리나라에서 편히 잘 살고 있다.
　나는 이 책을 읽으면서 우리나라를 지켜주신 분들에게 감사한 마음을 갖게 되었다.

빈 화분

아침 독서 시간에 읽을 책을 찾다가 학급 문고에서 '빈 화분'이라는 책을 읽어봤다.

주인공은 빈 화분을 가지고 있었다.

임금님이 주인공에게 씨앗을 주어 주인공이 그걸 땅에 심고 물을 주고 반복을 했는데도 잘 자라지 않았다. 다른 흙으로 옮겨서 또 두 달을 기다렸는데도 역시 자라지 않았다.

어느 날 봄이 되어 다른 아이들은 임금을 뵈러 옷을 갈아입고 화분 안에 있는 꽃을 가져갔다. 그런데 주인공은 빈 화분이어서 다른 애들이 놀릴 것 같아 주인공의 아버지를 찾아갔다.

아버지는 주인공에게 '넌 정성을 다했으니 임금님께 바쳐라'라고 말하셨고 주인공이 빈 화분을 들고 궁궐로 갔다.

임금님은 하나하나씩 꽃들을 차근차근 살펴보았다.

임금님은 주인공에게 '내가 찾던 아이가 바로 이 아이다'라고 하며 기뻐하였다. 이때 나는 그동안 주인공을 놀린 아이들이 당황했을 것 같고 이 임금님에게 '사이다'라는 느낌이 들었다.

그리고 임금님이 주인공을 들어서 화려한 의자에 앉게 하였고 주인공은 왕이 되었다.

그래서 그 놀리던 아이들은 당황해서 가만히 있었다. 임금님은 아마도 그 주인공을 도와준 것 같다. 주인공은 그때 그동안의 걱정과 슬픔은 모두 사라지고 정말 행복했을 것 같다.

그리고 주인공은 임금이 되어 멋진 모습으로 나라를 다스릴 것 같고, 자신과 같이 어려움에 처한 사람을 도울 수 있는 마음 넓은 임금님이 될 것 같다.

또 주변의 놀림이나 질투에 신경 쓰지 않고 한결같은 마음으로 자신의 할 일을 묵묵히 해나가다 보면 좋은 일이 찾아온다는 생각이 들었다.

이 책을 친구들이 한번 읽어보면 좋을 것 같다. 이야기가 정말 재미있고, 이야기 속 친절한 임금님을 만나게 되면 기분이 좋아질 것이다.

열두 살 장래 희망

박수진

나의 꿈은 그림 그리는 사람이다. 이유는 그림은 그리는 것을 좋아하기 때문이다. 그림을 그릴 때 마음이 편해지고 완성하면 뿌듯해진다.

[열두 살 장래 희망]을 읽고 느낀 것은 어떻게 생각하면서 살아가야 하는지를 알려준 책이라는 것이다.

[잘 웃는 사람] 웃는 얼굴로 생활하면 하루하루가 더 즐겁지 않을까? 친구와 이야기를 할 때 웃으면서 대화하고 집에서는 오빠와 웃으면서 놀고 엄마 일도 웃으면서 도와줄 거야. 그러면 잘 때까지 기분이 좋아지고 하루를 끝낼 수 있을 거야. 그 하루하루를 소중하게 살아가면 금방 지나가고 행복해진다고 생각한다.

[지구를 사랑하는 사람] 나는 지구를 지키고 싶다. 내가 사는 지구, 나를 지키는 것과 같은 뜻일 거야. 쓰레기를 줄이고 재활용을 위해서 분리수거를 철저하게 할 거야. 지구를 아끼면 우리가 더 건강하고 행복한 일상을 누릴 수 있도록 해줄 거야. 나를 위해

우리를 위해 지구를 사랑하는 사람이 될 거야.

[어린이의 마음으로 사는 사람] 천진난만이 어떤 뜻일까? 하늘에서 타고난 그대로 핀 꽃과 같다. 조금도 꾸미지 않고 있는 그대로를 말과 행동에 나타냄. 어른이 되어서도 어린이 마음을 가지고 살면 즐거울 거야. 나는 지금 행복하고 즐거우니까. 말에 꾸밈없이, 행동에 꾸밈없이 살고 싶어. 나쁜 말이 아니라면 내가 하고 싶은 말을 다 하면서 살면 좋겠어. 나이를 먹을수록 더욱 순수하게 살아가고 싶어. 작은 일에도 기뻐하며 신나는 내일을 열어 갈 거야. 그것이 나의 미래를 결정하고 가족 친구 우리가 행복해지는 일이라고 알았다. 내일을 위해서!! 나를 위해서!

바람에 날아간 깃털

박유진

나는 바람에 날아간 깃털이란 책을 처음 봤을 땐 바람에 날아간 깃털? 깃털~? 깃털이 여행하는 책? 깃털 여행기? 하면서 어떤 일이 일어날까 하는 궁금함에 읽게 되었다.

그런데 내 예상밖에 너무나도 좋은 책이었다.

수다쟁이 부인이 마음대로 꾸며 낸 말로 남의 흉을 봐서 이웃끼리 싸움이 붙었다.

그래서 사람들은 지혜로운 랍비를 찾아가 도움을 청했다.

랍비는 부인에게 커다란 자루를 하나 주었다. 그리고는 그 자루 속에 든 것을 하나씩 꺼내며 집에 갔다가 다시 주워 오라고 했다.

그 자루 속에 든 것은 깃털이었다.

부인은 별것 아니라고 콧방귀를 뀌며 자루 속 깃털을 꺼내며 집으로 갔다. 하지만 돌아올 때는 바람에 이리저리 날아간 깃털을 줍지 못해 거의 빈 자루만 들고 랍비에게로 갔다.

울상을 한 부인에게 랍비는 말이란 그렇게 한 번 입 밖으로 나가면 다시 주워 담을 수 없다는 것을 일깨워 주었다. 그 부인은 마음속 깊이 뉘우치며 집으로 돌아갔다. 그날 이후 수다쟁이 부인의 흉보는 버릇은 말끔하게 사라졌다.

수다쟁이 부인이 버릇을 고치자 마을 사람들은 지금까지의 잘못을 모두 용서해 주었다.

내겐 랍비가 마지막에 한 말이 나에게 제일 와닿았다.

말이란 한 번 입 밖으로 나가면 주워 담을 수 없다고 한 장면.

나도 가끔 생각나는 대로 말할 때도 있는데 그 사람이 내 말에 기분이 안 좋아졌을 수 있겠구나 하면서 다시 한번 나에 대해 생각할 수 있었다. 내가 수다쟁이 부인이 된 것 같았다.

안 좋은 말은 옮기지 말고, 말을 할 때에는 상대방의 마음을 먼저 헤아려 보는 사람이 되어야겠다 하는 다짐도 했다. 그리고 버릇을 고친 수다쟁이 부인의 잘못을 용서해 준 마을 주민들도 정말 대단하다고 생각했다.

으스스 된장 마을의 비밀

송윤주

된장 마을? 어떤 마을일까 궁금증이 느껴지는 재미있는 제목에 흥미를 느껴 책을 골라 읽게 되었다.

어느 날 미미와 조조는 부모님을 따라 산골 마을로 이사를 가게 된다.

점순이네 아주머니는 자신의 벌집 꿀을 왕점 아저씨가 훔쳐 가는 줄 알고 왕점 아저씨가 싸우게 된다.

 이웃 주민들이 매일 싸우는 모습을 보고 미미와 조조는 원래 살던 곳으로 다시 가고 싶어 한다. 아.. 나였어도 이런 마음이 들 것 같다. 이사를 하면 안 그래도 살던 곳이 그리워질 것 같은데, 새로 이사 간 곳 사람들이 매일 싸우고 다투는 모습을 봐야 한다면 더더욱 살던 곳이 그리울 것 같다.

 미미와 조조는 탐정이 되어 마을 사람들을 관찰하게 된다. 그래서 왕점 아저씨가 꿀을 훔치는 게 아니라 무언가를 숨겨놓는 모습을 보게 된다.

 그리고 미미와 조조는 된장 마을에서 옛날에는 된장 사업을 했다는 것을 알게 된다. 아.. 그런 이유에서 된장 마을이라는 이름이 붙었구나 하고 이해가 되었다.

 그런데 미미와 조조는 지금은 왜 된장 마을에서 된장 사업을 하지 않는지 궁금해지기 시작했다.

그 이유는 점순 아주머니의 남편이 돌아가신 뒤 된장의 맛이 변해서 된장 사업이 망했다는 것을 알게 되었다. 그래서 남편이 돌아가신 이유를 점순 아주머니께 물어보았다.

 점순 아주머니의 남편이 된장 사업이 망한 뒤 매일매일 빠지지 않고 술을 먹다가 너무 많이 먹게 되어서 돌아가셨다고 한다. 그런데 점순 아주머니가 남편이 죽기 전에 보물을 숨겨 놓았다고 말했다.

 조조와 미미는 탐정이 되어서 그 보물을 찾으러 떠나게 되었다.

 이 이야기에서는 서울에서 낯선 시골로 이사를 온 조조와 미미가 마을 사람들을 관찰하고 사건을 추리하는 이야기로 되어있어서 읽는 재미가 있어서 좋았다.

 점순 아주머니의 남편인 점순 아저씨가 숨겨놓았다는 보물을 찾기 위해 조조와 미미는 추리를 통해서 사람들의 하루하루를 눈여겨보며 오해를 풀고 화목하고 평화로운 된장 마을을 만들기 위해서 노력하는 모습을 보여주었다. 그런 미미와 조조가 정말 멋있었다.

 내가 만약 된장 마을로 이사를 가게 되어서 조조와 미미처럼 된장 마을의 평화를 찾아야 한다면 나는 이웃 주민들과 된장 만들기 캠페인을 하면서 행복하게 살기 위해 노력할 것이다.

꽁꽁꽁 아이스크림

안지현

 아이스크림들아 안녕?
 너희들이 나오는 이야기, 정말 재미있게 읽었어!
 너희들이 왕자콘을 구했을 때 너무 멋있었어. 너희도 무서워했는데 왕자콘을 구했다니 정말 대단해.
 그리고 줄줄이 사탕아, 너 정말 용감하더라. 아이스크림들이 무서워하고 있었을 때 네가 먼저 나와서 왕자콘을 구하려고 했잖아. 나는 그 모습이 정말 용감하고 대단하게 느껴졌어.
 그리고 만약에 너희가 위험한 상황에 빠지면 왕자콘이 너희를 구해줄 거라 믿어.
 그리고 너희 너무 멋있었고 용감했어.
 그리고 왕자콘아, 너도 친구들이 위험에 빠지면 너도 아이스크림 친구들, 줄줄이 사탕처럼 친구들을 꼭 도와줘야 해.
 그럼 안녕!

나는 기억할 거야

이서윤

도서관에 가서 '나는 기억할 거야'라는 책이 재미있어 보여서 빌려봤다.

이야기 속 주인공은 이정이라는 동생과 이혁이라는 이정이의 오빠이다.

동생과 오빠는 끝말잇기를 하는데 동생이 "리어카"라고 하고 오빠가 "카드뮴"이라고 했다. 오빠가 이겼지만, 동생에게 딱밤을 때려 엄마한테 혼이 났다.

오빠랑 놀지 않기로 했다. 하지만 오빠랑 놀다가 져서 속상해도 오빠랑 노는 게 재미있었다.

나도 동생이랑 싸울 때는 놀기 싫지만 그래도 동생이랑 노는 게 제일 재미있어서 금방 화해하고 다시 논다.

정이 엄마가 디말 놀이를 가지고 왔다. 디말 놀이는 가운데 글자에 '디'를 넣는 놀이이다. 규칙은 이기고 지는 게 없고 말을 지어내도 된다.

정이랑 혁이는 대말 놀이를 재미있어했다. 나도 재미있고 한 번도 해보지 못한 놀이여서 디말 놀이를 가족과 친구들과 해보고 싶다. 그리고 나도 가족과 끝말잇기를 할 때 질 때도 있고 이길 때도 있었다. 근데 동생이 지면 속상해해서 엄마가 가끔 져주기도 한다.

그다음 이야기로 혁이가 어떤 여자아이랑 연애를 하는데, 혁이가 여자친구랑 핸드폰을 하고 있을 때 정이가 혁이한테 놀아 달라고 했다. 하지만 혁이는 바쁘다고 하고 놀아주지 않았다.

나도 여동생이 있는데 동생이 놀아 달라고 하면 바쁘다고 하거나 싫다고 했을 때가 있었다. 책을 읽을 때 조금 미안한 생각이 들었다. 나는 앞으로 동생과 잘 놀아줘야겠다.

 그다음 내용은 정이가 엄마한테 일곱 살 때 헤어진 남자친구가 어디에 사냐고 물었더니 정이 아파트랑 조금 멀었다고 했다. 정이는 그 남자친구를 보고 싶어 했다.

 어느 날 정이네 가족이 공원을 갔는데 남자친구를 봤다. 하지만 남자친구는 정이를 알아보지 못했다. 정이는 조금 어색하고 속상했다. 나도 가끔 길에서 남자친구들을 본 적이 있는데 나도 그때 어색했다. 그래서 정이의 마음을 잘 알 수 있었다.

 이 책 시리즈가 다양한데 읽어보고 싶은 마음이 들었다.

한국 전래동화

이한설

 옛날 어느 날. 꿩과 비둘기와 까치가 모여 살았어요.

 그러던 어느 날 겨울이 왔어요. 그래서 먹을 게 부족해 다람쥐에게 갔습니다. 하지만 말을 잘못해서 부지깽이로 뺨을 맞았습니다. 다람쥐가 꿩을 태워버리겠다고 말을 했어요. 꿩은 불시에 얻어맞아 빨개진 볼을 만지작거리며 더 이상 아무 말도 하지 못하고 창피만 당하고 쫓겨나고 말았어요.

 날개를 축. 늘어뜨리고 힘없이 집으로 돌아오는 꿩의 모습을 보고 비둘기와 까치는 무슨 일이 있느냐고 물어도 꿩은 얻어맞은 얼굴만 비빌 뿐 아무 말도 하지 않았습니다.

그러자 이번에는 비둘기가 다람쥐네 집을 찾아가서 말했어요. 그러나 비둘기도 다람쥐를 깔보고 있었으므로 다람쥐의 집 앞에서 큰 소리로 외쳤어요.

 "이놈의 다람쥐야. 감히 우리 부탁을 안 들어줘? 요놈의 다람쥐들아 훔쳐다 놓은 양식이 있으면 다 내놓아라"라고 다람쥐의 방문 앞에서 고래고래 고함을 쳐대고 있었어요.

 그러자 몹시 화가 난 다람쥐의 아내가 부엌에서 불에 붙어 타고 있는 부지깽이를 들고 나오더니 비둘기 머리를 사정없이 때렸어요. 머리를 호되게 얻어맞은 비둘기는 약이 오르고 아파서 푸드득 후두둑 날개만 떨다가 아무것도 얻지 못하고 그냥 와버렸어요.

 그 모습을 지켜본 까치는 다람쥐 집을 찾아갔어요.

 까치는 꿩이나 비둘기가 말했던 대로 했다가는 아무것도 얻을 수 없다고 생각했어요. 까치는 다람쥐의 방문 앞에 이르자 고개를 공손히 숙이고 말을 하였어요.

 "여보게 다람쥐 친구~ 안에 있는가? 지금 눈이 많이 내려서 우리 집에는 먹을 게 없다네. 양식이 있으면 조금만 나눠 주게나. 봄이 되면 꼭 갚겠네."

 까치가 정중하게 말하는 소리를 들은 다람쥐는 양식을 구하려고 왔으면서 최소한의 예의를 지키지 않은 꿩과 비둘기 이야기를 했고, 다람쥐 아내가 같이 거들었어요.

 그리고 남편 다람쥐는 자루에 담겨있는 곡식들을 내놓고 까치에게 가져가라고 했고, 까치는 봄에 갚겠다고 말하며 다람쥐가 준 양식 자루를 매고 자기 집으로 돌아오면서 생각해보았어요.

 세상을 살아가려면 겸손해야겠다고 생각했습니다. 나도 꿩과 비둘기처럼 말을 함부로 하지 않고 까치처럼 겸손함을 실천해야겠다고 생각했어요.

이상한 낱말 사전

조서현

나는 사전을 별로 좋아하지 않는다.

하지만 도서관에 있는 이상한 낱말 사전이라는 책은 왠지 재미있을 것 같아 한 번 빌려보았다. 그리고 읽어봤는데 예상대로 너무너무 재미있는 내용이었다.

책 내용은 낱말 사전처럼 낱말의 뜻을 나타낸 내용인데 진짜로 이상하고 재미있다.

내가 가장 좋아하는 부분은 '뭉게구름'의 뜻이 설명되어있는 108쪽이다.

뭉게구름의 뜻은 '얼마나 푹신한지 누워 보고 싶지?' 이런 뜻이 적혀 있다. 정말 얼마나 푹신한지 뭉게구름 위에 누워 보고 싶지만 누워 볼 수 없는 것이 아쉽다.

특히 나는 사물 편은 너무 웃기다 이렇게 재미있어서 안 읽을 수가 없다. 사물 편에서는 사물들의 입장에 대해 생각해 볼 수 있고 사물들을 이해할 수 있어서 좋았다.

사물 편에서 가장 웃긴 것은 저울이다.

저울의 뜻은 네 몸무게를 난 잘 재어주는 데 너는 꼭 다시 재면서 이런 말을 해 '엄마, 이 저울 안 맞는 것 같애' 라고 말하는 게 맞는 말이어서 웃음이 나왔다.

이상한 낱말 사전이 정말 이상하지만 재미있고 시리즈가 나오면 바로바로 보고 싶다. 2탄이 꼭 나오면 좋겠고 좀 아쉬운 페이지는 8쪽이다. 8쪽의 낱말은 콩나물이다. 글밥이 좀 적어서 아쉽다. 다음엔 글밥이 많으면 좋겠다.

우리 엄마도 같이 읽어보셨는데 엄마는 축구공이 재미있다고 하셨다. 축구공의 뜻은 유리창을 깼다고 뭐라 하는 선생님이 무섭냐? 유리창을 향해 날아가는 나는 안 무서웠겠냐! 이런 뜻이 있다.

또 아빠는 가위가 재미있다고 하셨다. 아빠는 다 오려 줄게 라는 부분이 좋았다고 했다.

내가 재미있어하는 책을 가족들이 좋아하니 나도 기분이 좋아졌다. 이상한 낱말 사전 최고! 친구들에게도 꼭 추천하고 싶은 책이다.

협동심

조우리

주인공은 피아노 치기를 좋아한다. 그래서 선생님이 대화를 하는데 주인공은 피아노를 좋아해 선생님이 피아노 역할을 주인공에게 맡겼다. 그리고 집에 와서 엄마에게 자랑했는데 엄마가 "안돼! 넌 바이올린 해야 돼!"라고 했다.

주인공은 평소 바이올린도 좀 좋아했지만, 엄마가 그렇게 말해서 청개구리가 되고 싶었다.

근데 나도 그런 적이 있어 공감이 갔었다.

그리고 다음 날 학원에 갔는데 선생님이 어머니를 잘 설득해본다고 했다. 그래서 선생님이 어머니를 잘 설득해 대회를 나갈 수 있었다. 근데 엄마가 너무 나쁘신 것 같다. 딸이 피아노도 되게 잘 치면 좋은건데.. 라는 생각이 들었다.

그리고 대회를 나갔는데 주인공은 이미 콩쿠르를 나오고 또 나온건데 거기에 멤버인 사람들이 있어서 덜 떨렸다. 그래서 나도 한 번 대회 나가는 상상을 해봤는데 진짜 혼자 나가는 것과 같이 나가는 것은 상상만 해도 혼자 있으면 허전하고 더 떨릴 것 같고 같이 있으면 덜 떨리고 따뜻한 기분이 들 것 같았다.

그리고 주인공이 피아노를 하다 실수했는데 머릿속이 새하얘지고 그랬다. 근데 내가 봐도 심장이 진짜 쿵쾅쿵쾅 거렸다. 그리고 결과가 나왔는데 3등을 했다.

그런데 주인공은 정말 우울했다. 왜냐하면 엄마가 나가는 대신 1등을 하라고 했는데 3등을 한 것이다.

그리고 걱정하는 마음으로 집에 왔는데 엄마는 예상과 달리 잘했다고 했다. 주인공은 "왜 엄마가 화를 안 내지?" 했는데 친할머니 할아버지가 오셨었다. 그래서 나도 친할아버지가 안 오셨으면 큰일 났을 수도 있었을 거라는 생각이 들었다.

이야기 속에서 친구들과 같이 대회를 준비하는 과정에서 협동심이 중요하다는 생각이 들었고, 나도 학교생활을 하며 여러 모둠활동을 하는데, 그때 협동하여 잘해야겠다고 생각했다.

단톡방을 나갔습니다.

한재은

이 책을 읽게 된 이유는 3학년 때 친구가 이 책이 재미있다고 "한번 읽어볼래?"라고 말해 읽어봤는데 정말 재미있어서 이 글을 쓰게 되었다.

이 책의 주요 인물은 초록, 새리, 지애, 하린이다.

이 친구들이 새 학년이 되었을 때 초록이는 혼자였다. 새리가 초록이에게 인사를 하자 다른 친구들도 인사를 하였다. 초록이는 다행이라고 생각하고 친구들과 친해졌다.

초록이가 친구들과 이야기를 할 때 새리가 보건실에 가다 쓰러져서 초록이가 새리와 보건실로 갔다.

학교가 끝나고 초록이는 단톡방에 초대되어 있었다.

친구들은 우리만의 암호를 만들자고 했고, 하린이의 별명인 하마, 기린으로 암호를 만들었다.

그리고 다음날 초록이는 아빠의 회사에서 행사가 있어 아빠를 따라갔다. 아빠가 회사분들과 인사를 나누고 있을 때 초록이가 화장실에 갔는데 새리가 있어서 어떻게 오게 된 것인지 물었다. 새리 역시 아빠 회사의 행사에 참여하기 위해 온 것이었다.

초록이와 새리가 헤어지고 초록이의 아빠와 새리의 아빠가 만났다. 새리의 아빠가 초록이의 아빠에게 "김부장님"이라고 하자 초록이의 아빠는 "그래 박과장"이라고 말을 했다. 새리는 그걸 듣고 자신의 아빠가 직급이 더 낮다고 생각하여 화가 났다.

다음날 학교에서 초록이는 하린이에게 반갑게 인사를 하였지만 하린이는 초록이의 인사를 받아주지 않았고 지애에게도 인사를 했지만 받아주지 않자 초록이는 외톨이가 된 기분으로 1교시 2교시 3교시를 마쳤다. 이후 쉬는 시간에 혼자 화장실에 가서 칸 안에 있는데 새리와 주미가 이야기하는 소리가 들렸다.

"주미야 하린이 있잖아 하마 닮았지?"

"그러고 보니 진짜 하마 닮았네"

"근데 새리야, 너 하린이랑 지애랑 친한 거 아니야?"

"아니야" "그리고 초록이는 잘난척해서 싫어!"

"엥? 잘난 척? 초록이 착한 애인 줄 알았는데"

"그게 말이야 알고 보니까 우리 아빠랑 초록이 아빠가 같은 회사에서 일하더라고. 그런데 초록이가 은근히 잘난척 하는 거 있지? 회사에서 자기 아빠가 직급이 더 높다고 말이야"

하지만 새리와 주미가 말하는 것을 초록이와 하린이가 들었다.

그리고 집에 가서 지애가 하린이와 초록이를 새로운 단톡방에 초대하였다. 지애는 그제서야 초록이에게 사과를 했다. 지애와 하린이랑 초록이는 우리 셋만 아는 암호를 다시 만들자고 하였다 암호는 '콜라', '사이다'였다. 콜라는 기분이 나쁜 것이고 사이다는 기분이 좋다는 것이다.

그리고 지애는 "우리 새리 나 하린이랑 초록이 이렇게 넷이서 단톡방을 만들고 6시 20분이 되면 새리만 남겨두고 단톡방을 나가자"고 하였다. 그러면 새리는 엄청 당황할 거라고 생각했고, 그리고 나서 지애는 단톡방을 만들었다.

그리고 새리는 미안하다고 "너희들 화 다 풀린거야?"라고 물었고 지애는 "뭐 이젠 다 풀렸어"라고 대답하며 계속 이야기를 나누고 있을 때 6시 20분이 되었다.

초록이는 우리 단톡방을 나가지 말자고 말을 하려고 할 때 이미 지애와 하린이는 단톡방에서 나가 있었다. 새리는 "나만 두고 단톡방을 나가려고 했구나!"라고 초록이에게 말을 했고, "초록아 넌 왜 안 나갔어?"라고 물었다.

그러자 초록이는

"나까지 나가면 너 속상해할 거 같았어"라고 말했다.

그리고 새리가 이 단톡방에서 동시에 나가자고 제안했고, 새리와 초록이는 동시에 단톡방에서 나오게 된다.

새리는 초록이가 싫어서 친구들에게 초록이 뒷담화도 하고 초록이에 대해 거짓말도 해서 초록이를 혼자로 만들 수 있을 줄 알았지만 새리의 거짓말은 결국 들통났다.

하지만 초록이는 하린이가 만든 단톡방에서 새리를 혼자 두지 않고 배려해주었고, 결국 새리는 초록이와 다시 친구가 되었다.

둘이 다시 친구가 된 모습을 보니 나는 너무 기뻤다. 하지만 새리가 초록이를 혼자로 만들려고 했던 행동은 정말 잘못되었다고 생각한다. 새리의 잘못된 행동에도 친구를 배려하는 초록이의 모습을 보고 이런 친구가 되어야겠다고 생각했다.

재판을 신청합니다.

서현정

현상아 안녕? 나 현정이야.

네가 근데 전학 왔다며? 네가 전학온 이유가 부모님 일 때문이잖아. 나도 부모님 일 때문에 전학왔어.

너의 친구 정규와 헤어지게 되어서 속상했지?

네가 미트볼 사건 때문에 재판을 받게 되었잖아? 그런데 혁이가 판사라니! 너는 그때 패닉상태가 되었을 것 같아.

나도 이 애가 주장이라고? 생각할 때가 있어. 장진이가 널 재판하게 했잖아. 장진이도 빨리 움직이면 미트볼을 먹을수 있었을텐데! 하지만 유죄라니! 너는 혁이가 진짜 미웠을 것 같아.

나 같아도 장진이나 혁이를 내 도우미로 만들어 버리고 싶을 것 같아. 그리고 다시 하자고 하고 주먹도 날리고 싶을 것 같아. 하지만 폭력을 쓰지 않고 말로 해결하는 모습이 멋져. 난 동생과 말로 시작한 다툼을 폭력으로 해결하는 데, 나도 너의 그런 모습을 본받고 싶어. 넌 참 용기 있는 사람 같아.

장진이 너에게 급식을 가져오라고 할 때 너는 당당하게 너의 의견을 말했어. 나는 그럼 당할 것 같은데... 이후 재판을 신청했잖아. 그 재판은 5학년 5반을 바꿀 엄청난 재판이었어. 도우미 제도를 끝낸 건 바로 너야. 앞으로도 5학년 5반에 행복한 일만 가득하길 바랄게.

그런데 나 너에게 궁금한 게 있어. 만약 유죄 판정이 나면 어떤 벌칙을 받게 돼? 아직 벌칙이 정해지지 않았다면 아이디어를 줄게. 급식 늦게 받기는 어때? 기다리면서 반성을 하게 되는 거야.

그리고 한 개의 아이디어를 더 줄게. 남아서 공부하기. 남아서 공부를 하며 반성도 하고 실력도 좋아지는 거지. 점점 서로를 존중하고 배려하는 멋진 5학년 5반이 될 거야.

곧 6학년이 될 텐데 6학년이 되었을 때 그 반에서도 새로운 법을 만들면 재밌을 것 같아.

그 책 제목은 "법 만들기를 신청합니다." 어때? 그 책이 나오면 가장 빨리 가서 살게.

어제는 우리 반에 급식으로 미트볼이 나왔어. 신기하지? 너도 함께 있었으면 좋았을 텐데.

그리고 넌 어디에서 전학 왔어?

난 지금 평택에서 1시간 거리에 있는 서울에서 전학을 왔는데 네가 오면 내가 정규 같은 친구가 되어줄게. 그리고 정규 같은 친구가 다시 생긴다면 전해줘.

꽁꽁꽁 아이스크림

박은별

아이스크림들에게
아이스크림들아, 안녕? 난 은별이라고 해.
난 최애 간식이 아이스크림이야! 난 아이스크림이 너무 좋아 여름에 딱이야. 달달 하고, 시원한 그 맛! 난 너희들이 너무 좋아.
난 『꽁꽁꽁 아이스크림』 책이 너무 재밌어!
특히 난 왕자콘이 바닥에 떨어졌을 때 밤바와 팥바가 용기 있게 "빨리 데려 와야해." 하면서 왕자콘을 구해줬는데 왕자콘이 고맙다며 팥바와 왕자콘이 껴안으면서 서로 화해하는 그 장면이 너무 재밌었어. 항상 맛있는 간식이 되어줘서 고맙고, 『꽁꽁꽁 아이스크림』을 보고 아이스크림들에겐 이런 경우가 있구나 라는 생각이 들어서 편지를 썼어.
난 아이스크림을 워낙 좋아해서 추운 겨울에도 즐겨 먹어. 난 특히 최애 아이스크림 중에 '찰옥수수'가 제일 맛있어. 그 콘의 바삭바삭한 식감 안엔 옥수수향인 바닐라 아이스크림의 맛! 난 그게 제일 좋아!♡
그리고 두 번째로 좋아하는 아이스크림은 바로. '주물럭'이라는 아이스크림이야. 난 쭈쭈바도 좋아하거든. '주물럭'의 특징은 일단 난 콜라 슬러시를 좋아하는데 그 맛이 '주물럭' 맛이라 너무 좋아!
그리고 세 번째로 좋아하는 아이스크림은 '민트 초코'야!
호불호가 많이 갈리고 나도 어릴 때 안 좋아했는데 어느 순간 부터 너무 맛있는 거야. 그래서 좋아하게 되었어. 그리고 '민트 초코'의 특징은 그 시원한 맛, 그리고 달달한 이맛. 반 민초파는 자꾸

민트 초코가 치약 맛이라고 할 때 왠지 모르게 먹고 있는 내가 속상하더라. 그래도 우리 가족들은 '민트 초코'를 좋아해서 난 괜찮아!

그리고 네 번째로는 '빵빠레', '빵빠레'의 특징은 위에 있는 바닐라. 아 그리고 초코맛도 맛있고 그 아래에 있는 콘! 콘이 진짜 맛있어. 아이스크림이랑 콘이랑 같이 먹으면 진짜 맛있거든. 초코맛도 마찬가지 지금도 쓰고 있는데 너무 아이스크림이 먹고 싶다.

암튼 『꽁꽁꽁 아이스크림』 너무 재밌었어!

아이스크림 최고!

난 이만 안녕!

7 나의 미래 모습

국어 시간,

미래의 모습을 비추어 주는 거울이 있다면

자신은 어떤 모습일지 상상해 보았습니다.

그리고 20년 뒤에

자신이 하고 싶은 일을 이루어

멋진 사람이 되어 있을 모습을

그림과 글로

표현해 보았습니다.

🦋 내가 살아온 삶

🦋 내가 살아온 삶

강 건이 살아온 삶

2013년 5월 13일에 경기도 평택시에서 강건이 태어났다.

2018년, 5살이 되던 해에 강건은 처음으로 아빠한테 축구를 배웠고, 축구가 재미있다고 생각했다.

2022년, 초등학교 3학년이 된 강건은 처음으로 유소년 축구선수가 되었고 열심히 연습하고 여러 경기에 나가며 실력을 다졌다.

이때, 강건의 꿈은 국가 대표가 되는 것이었다. 하지만 국가 대표가 되려면 엄청난 노력을 해야 했다. 그래도 강건은 노력을 많이 해서 국가 대표 꿈을 이룰 것이라고 다짐했다.

2023년, 강건은 TV에서 국가 대표 선수들이 축구 경기를 하는 모습을 보며 국가 대표 꿈을 더욱더 키워나갔다.

2043년, 강건은 국가 대표가 되었다.

그해에 우리나라는 북한과 통일을 했고, 북한과 우리나라가 하나가 되자 축구 선수도 많아졌다.

강건은 국가 대표로 많은 경기에 출전했고, 유명한 선수가 되었다.

권혁재가 살아온 삶

2013년에 태어난 혁재라고 하는 사람이 있었다. 그 사람은 어릴 때부터 먹기를 좋아했다.

그렇지만 혁재의 아빠는 많이 먹는 걸 반대했다. 그럼에도 불구하고 혁재는 끈기 있게 많이 먹었다.

20년 뒤 2043년, 혁재는 먹방 유튜버가 되었다. 그래서 한 동영상을 올리면 조회수가 1000이 넘었다.

TV에도 출연하게 되었고 외국에서도 유명해졌다.

그리고 혁재가 갔던 식당은 되게 유명해졌다.

또 혁재는 다른 방송에도 많이 출연하게 되면서 돈을 엄청 많이 벌었다.

그렇게 많은 돈을 벌어 아프리카 기부하면서, 기부하는 먹방 유튜버로 사람들에게 많은 사랑과 존경을 받았다.

박시우가 살아온 삶

2043년, 로봇 시대가 열렸다. 직업은 점점 없어지고 있었다. 시우는 태권도 선수였다.

로봇에 의해 태권도도 없어졌다. 모든 사람들은 자신의 꿈 때문에 항의했지만 소용없었다.

시우는 2013년에 태어나 2022년부터 선수 생활을 시작하였다.

2024년에는 경기도 대표도 하였다. 그러면서 2038년, 국가 대표 선발전에서 1등을 하여 국가 대표가 되었다.

이렇게만 해도 자그마치 16년이 지났는데 2년 만에 은퇴를 해야 한다는 것이 시우는 너무 억울했다. 시우는 계속 항의 했지만 계속 안된다고 하여 어쩔 수 없이 집으로 돌아갔다.

5개월 뒤 시우는 이게 아무리 봐도 이게 아닌 것 같다고 생각하였고, 몇몇 사람들을 모아 회의를 하였다. 다 같이 의견을 내보았지만 소용없었다.

시우는 좋은 생각이 떠올랐다.

바로 로봇 물러내기 운동이었다. 사람들도 동의했다.

운동선수들은 운동으로, 요리는 요리와 청결로 싸움을 하였다. 결과는 전부 사람의 승리로 끝이 났다.

이렇게 시우가 낸 아이디어로 로봇 물러내기 운동에 성공하였다.

박우솔이 살아온 삶

비가 오고 있다.

2043년, 대한민국과 여러 나라들은 심한 가뭄에 시달리고 있었다.

이렇게 비가 오는 까닭은 대한민국의 한 과학자 덕분이다.

이 과학자의 이름은 박우솔이다.

출생 2013년. 박우솔은 어릴 때부터 과학에 호기심과 궁금증이 많았다. 이렇게 박우솔은 중학생까지 건강하게 성장했다.

박우솔은 어느 날 뉴스를 보던 중 이런 생각이 들었다.

"요즘 환경문제 때문에 지구에 이상한 일이 많이 생기네. 이러다 나중에 지구 망하는 거 아니야 진짜?"

우솔이는 또 무럭무럭 성장했고, 결국 과학자가 되었다.

우솔이는 환경 파괴로 인해 비가 내리지 않는 문제를 해결 하기 위해 발명품을 만들기 위해 노력했지만, 가뭄으로 인해 부품을 구하기 힘들어 한차례 어려움을 겪는다.

하지만 그 어려움을 이겨내고 발명품을 만들었다.

뚝, 뚝, 비가 온다. 박우솔이 결국 해냈다.

전 세계엔 비가 내렸고 지구는 옛 모습으로 돌아왔다.

이동운이 살아온 삶

2013년 12월.

이동운은 서울에서 태어나 평택시 태평 아파트라는 곳 근처에서 공부를 하고, 11살부터 우주 비행사를 꿈꾸면서 우주에 대한 호기심을 품었다.

20년 동안 우주 관련 지식을 쌓고, 우주 관련 공부도 열심히 하여 결국 우주 관련 대학까지 졸업하고 우주 비행사가 되었다.

전 우주를 돌아 첫 외계인을 발견해서 지구로 데려왔다.

이동운은 바로 다시 외계인을 우주로 돌려보내려고 했지만, 대통령이 외계인을 더 데려오라고 했다. 대통령은 이동운이 더 데려온 외계인들을 증폭시켰지만, 그것은 잘못된 선택이었다.

여섯 달이 지나 외계인과 인간은 친화적인 관계를 맺게 되었지만 불만을 가진 몇몇 외계인들이 세력을 모아 대반란을 일으켰다.

그게 대전쟁의 시작이었다. 인간과 외계인이 전쟁을 시작한 지가 넉달이 지났다. 이제 인간 쪽의 수가 부족해졌다.

그때 이동운이 나타났다. 이동운은 우주기지에서 우주비행을 하며 모은 지식으로 무기를 만들어 지구로 돌아와 인간 쪽이 다시 승기를 잡고, 결국 외계인 쪽이 항복하면서 대전쟁은 끝이 났다.

외계인들은 모두 이동운의 도움을 받아 모두 고향으로 돌아갔다.

이지원이 살아온 삶

2013년에 태어난 이지원은 운동을 열심히 했다.

그리고 그 시대엔 축구가 유행하였고, 이지원도 축구를 보고 흥미가 생겨 2019년에 축구를 시작했다. 2023년에 축구을 하지 말까 생각하기도 했었지만, 이지원은 축구를 포기하지 않고 열심히 연습하며 끝까지 노력했다. 그리고 20년 뒤인 2043년, 이지원은 축구선수가 되었다.

그런데 환경오염이 심해서 5분간만 밖에서 숨을 쉬어도 죽을 수 있었다. 학생들은 학교를 가지 못했고, 그로 인해 학교가 사라질 위기에 처했다.

환경오염으로 인해 축구 경기는 주로 실내에서 이루어지는 상황이었고, 이지원은 실내에서 열린 일본 대 대한민국 축구 경기에 출전했고, 경기에서 이겨서 돈을 많이 벌었다.

축구로 벌어들인 돈을 식물의 연구와 성장에 사용하도록 기부했다. 그래서 식물은 점점 많이 자랐고, 이러한 노력으로 환경을 살리게 되었다. 그래서 이지원은 유명해졌다.

이한율이 살아온 삶

어느 날 2013년에 잘생긴 아들 이한율이 평택에서 태어났다.

이한율은 2021년 초등학교 3학년 시절, 동네에서 친구들과 축구를 했다.

이한율은 그 당시 유명한 축구 선수인 손흥민이 축구 하는 모습을 보고 축구선수가 되고 싶다는 생각을 하게 되었다.

그러던 2023년 12살이 되었을 때, 축구 학원을 다녔다. 축구 국가 대표가 되고 싶다는 꿈을 이루기 위해 열심히 운동을 했다.

힘들었지만 국가 대표를 할 수 있다는 마음으로 운동을 꾸준히 하였고, 결국 2030년에 국가 대표가 되었다.

월드컵에 출전하게 되어 하늘을 나는 버스를 타고 월드컵이 열리는 장소까지 날아갔다. 그리고 월드컵 우승을 했다. 정말 기쁜 일이었다.

그리고 더욱 기뻤던 일은 북한과 남한이 통일을 하게 되었다는 것이다. 한반도가 드디어 하나가 되었고, 국기가 바뀌었다.

정민우가 살아온 삶

2013년 9월 바람이 살랑살랑 부는 날, 정민우는 평택에서 태어났다.

11살이 되던 해에 농구를 배우기 시작했다. 아빠에게 농구 기술을 하나씩 배워 나가기 시작했는데 덩크슛을 성공하지는 못했다.

학원을 마치고 영화아파트 농구장에서 연습했다.

아빠한테 배운 기술들을 조금씩 익혔고, 동생들과 같이 놀며 농구 기술이나 규칙을 알려주기도 했다.

농구 규칙은 이랬다.

첫째, 손으로 상대방을 밀면 안 된다. 둘째, 상대를 발로 차면 안된다. 마지막 셋째는 손이나 발을 꺾으면 안 된다.

정민우는 농구 선수가 되겠다는 꿈을 가지고 열심히 연습했다.

그래서 정민우는 2030년에 농구선수가 되었다.

그리고 수많은 경기에 출전하였고 많은 우승을 차지하며 자신의 꿈을 이루었다.

조현승이 살아온 삶

조현승은 2013년 4월 25일 어느 작은 마을에서 태어났다.

조현승은 어릴 때부터 물을 좋아해서 수영 학원에 다니게 되었다.

조현승은 수영선수가 되고 싶다고 결심했다.

그래서 조현승은 일주일에 한 번은 꼭 수영장에 갔다.

어른이 된 조현승은 수영 선수가 되기 위해 군대도 해병대에 들어가서 수영을 열심히 연습했다.

수영선수가 되기 위해 수영을 하는데 어려움을 겪게 된다. 그 어려움은 수영 연습이 잘 되지 않아 수영선수가 되기에는 실력이 많이 부족했던 것이었다.

그래서 그 어려움을 이겨내기 위해 조현승은 쉬지 않고 수영 연습을 하여 실력을 늘려 수영선수가 되는 꿈을 이루게 되었다.

조현승이 수영선수가 되었을 때에는 교통수단이 발달 되어 비행기 대신 드론 택시를 타고 다니는 시대가 되었다. 그래서 조현승은 수영선수가 되어 해외로 수영 경기에 나가게 될 때면, 드론 택시를 타고 날아가서 수영 경기에 참여하게 되었다.

첫 번째 경기에서 조현승은 운이 좋게 1등을 해서 금메달을 따게 되었다. 그다음에도 조현승은 더 많은 경기에 나갔고 더 많은 메달을 따게 되어 유명해졌다.

김수연이 살아온 삶

2013년에 어여쁜 딸 김수연이 태어났다. 김수연은 2020년에 공부를 열심히 하면서 의사가 되겠다고 다짐했다. 왜냐하면 김수연은 의사가 멋지고 수의사, 의사 등 다 좋아했으며, 가족을 치료해 주고 싶은 마음이 들었기 때문이다.

2023년 어느 날, 김수연은 학교에서 선생님이 '전기문'이라는 것을 숙제로 내주셨다. 그때 김수연은 '이걸 의사로 쓰면 어떨까?'라는 생각에 의사를 선택했다.

의사가 되기로 마음먹고 공부를 열심히 하면서 의사가 되었다.

2043년, 김수연은 31살이 되었다. 그때 갑자기 법이 바뀌었다. 이젠 '병원이 사라진다'라고 했다. 김수연은 절망에 빠졌다.

지금도 사람들은 아파하고 있는데 병원이 사라진다고 하니 절망에 빠진 것이다. 김수연은 몇 시간 동안 생각해보고 다시 병원을 만들기로 결심했다. 김수연은 다시 병원을 힘들게 만들었다. 원래 법이 이러면 안 되는데 김수연은 그냥 법을 어겨버렸다.

김수연은 법원에서 '병원이 다시 생길 수 있게 해주세요. 사람들이 아파하고 있습니다.'라고 말했고 법원에서는 그걸 인정했다.

김수연은 아픈 사람들을 치료해 주는 의사가 되었다.

그리고 김수연은 자신이 선택한 의사라는 삶에 만족하였다.

박수진이 살아온 삶

수진이는 2013년에 태어났어. 수진이는 8살 때부터 그림을 엄청 좋아했어. 그리고 꿈이 화가였어. 미술 방과후 수업도 다녔어.

그러던 2033년 수진이는 꿈이었던 화가가 되었어. 하지만 고민이 좀 있었지. 2034년 사람들이 그림을 많이 안 그리기 시작했어. 수진이는 기분이 좀 그랬지. 그리고 미술 학원이 없어지고 안 보이기 시작했어.

수진이는 갑자기 결심을 하기 시작했어.

2035년에 수진이는 사람들에게 그림 그리는 걸 가르쳤어. 그리고 여러 가지 작품을 보여주고 그림에 대해서도 보여줬지.

그리고 어느 날 사람들이 그림을 어려워하지 않고 재미있게 그리기 시작됐고, 미술 학원도 다시 생기기 시작했어.

사람들이 미술 실력도 점점 좋아졌어.

2036년 올해도 사람들은 그림을 좋아하고 많이 그렸어.

박유진이 살아온 삶

2013년 4월에 태어난 박유진은, 10살이 되던 해에 사진 찍는 일에 재미를 느끼기 시작했고 사진작가라는 꿈을 갖게 되었다.

사람들이 쓰레기를 아무데나 버려 환경오염이 점점 심해지던 시대에 살았던 박유진은 20년 뒤 어릴때의 꿈을 이루었다. 그녀의 직업은 사진작가였다.

사진 찍는 게 재미있고, 모두에게 멋진 사진을 보여주고 싶었다.

박유진은 깨끗하고 맑은 풍경을 사진으로 담고 싶었지만 환경이 오염되고, 길마다 쓰레기가 있어 원하는 사진을 찍지 못했다.

그리고 원하는 사진을 찍기 위해 해결 방법을 생각했다.

그리고는 길에 있는 쓰레기를 줍기 시작했다.

다른 사람들도 그걸 보고 하나, 둘 쓰레기를 줍기 시작했다.

박유진은 사람들과 함께 환경을 깨끗하게 만들고, 자신이 원하는 사진을 찍을 수 있게 되었다.

송윤주가 살아온 삶

송윤주는 2013년 12월 바람이 쌩쌩 부는 날 경기도 평택에 있는 한 아파트에서 태어났어요.

그때는 사람들이 열심히 일한 만큼 배불리 먹을 수 있었어요. 윤주는 그것을 모르고 사람들이 왜 열심히 일하는지 정말 궁금했어요.

7살 때 언니를 따라 공부라는 것을 처음 하기 시작했어요.

그때 윤주에게 영향을 많이 준 사람은 선생님 이었어요. 그 다음부터 선생님이 되려고 계속 계속 공부를 하기 시작했어요.

2043년 송윤주는 선생님이 되었습니다.

하지만 자연이 좋지 않아서 종이를 많이 사용할 수 없게 되었습니다. 송윤주는 생각을 또 하고 또 해서 해결 방법을 찾았어요.

송윤주는 TV에 그림을 그려 수업을 하기 시작했어요.

송윤주는 수업을 할 수 있게 되어서 정말 기뻤습니다.

그 수업 방법이 점점 퍼지면서 송윤주는 유명한 선생님이 되었습니다.

안지현이 살아온 삶

2013년 11월에 태어난 안지현은 어렸을 때 발레학원을 다녔습니다. 그러면서 점점 발레를 좋아하게 되었습니다.

발레는 재미있기도 하고 힘들기도 했습니다.

발레 선생님이 가르쳐주시는데도 발레가 어려웠고 힘들었습니다.

처음에는 스트레칭도 잘 안되었는데 점점 시간이 지나면서 실력이 늘어났습니다. 그래서 안지현은 더 열심히 노력했고 노력한 만큼 실력은 계속 늘어났습니다. 그럴 때마다 안지현은 기분이 좋았습니다.

수많은 노력 끝에 2043년에 안지현은 세계적인 발레리나가 되었습니다. 세계 여러 나라로 공연을 다니며 점점 더 유명해졌습니다.

이서윤이 살아온 삶

이서윤은 2013년 10월 2일에 태어났다.

이서윤은 어느덧 11살이 되었고 그때부터 치과의사라는 꿈을 갖게 되었다.

치과의사 선생님이 치료하는 모습이 좋고 재미있어 보였기 때문이었고, 치과의사라는 꿈을 이루기 위해 학교와 집에서 공부를 열심히 했다.

그렇게 20년의 시간이 흘러 이서윤은 치과의사가 되었다.

이서윤은 치과의사가 되어 사람들을 치료했다.

2043년 시대가 발달해 각자 한 사람씩 초능력이 생겼다. 하지만 초능력은 하루에 1시간밖에 사용하지 못했다.

이서윤은 치과에서 초능력 때문에 치료를 도울 간호사가 필요 없다고 생각했다. 하지만 제한된 초능력 시간인 1시간을 다 사용한 후에는 치료에 필요한 도구를 직접 가져와야 하는 번거로움이 있었다.

이서윤은 이에 대해 깊이 고민해 보았고 곧 해결 방법이 떠올랐다. 바로 손님의 치아 상태를 먼저 살펴보고 그다음에 그 치아 상태에 필요한 도구를 미리 가져오는 것이다.

이서윤은 많은 사람의 치아를 치료해 준 후, 편안한 모습으로 세상을 떠났다.

이한설이 살아온 삶

2013년에 이한설이 태어났다. 이한설은 9살 때부터 꿈이 있었다. 바로 동물보호사였다.

이한설은 5살 때부터 버려진 고양이나 강아지를 데리고 오는 것이었다. 하지만 엄마는 거절하였다. 그러자 이한설은 울음을 터트렸다. 그래서 결국 엄마는 키우게 하였다. 그래서 이한설의 집에는 길고양이와 길강아지가 많았다.

그러던 2041년, 이한설은 동물보호사가 됐다.

동물들 목에는 번역기 목걸이가 걸려 있어 해주고 싶은 것을 다 해줬다.

그러던 이한설은 버려진 강아지를 발견했다.

그래서 가게로 데려갔다. 그런데 자리가 없었다. 그런데 이한설은 초록색 버튼을 눌렀다. 그러자 자리가 한 개 더 생겼다.

그래서 강아지들의 마음을 먼저 생각하는 멋진 동물보호사가 되었고, 동물농장 프로그램에도 나와 멋진 모습을 보여주었다.

조서현이 살아온 삶

2013년에 태어난 한 여자아이가 있다. 그 아이의 이름은 조서현이다. 조서현은 부모님과 가족, 친구들의 사랑을 받으며 자랐다.

서현이는 춤을 좋아해서 댄스 학원을 다니며 열심히 춤을 추고 연습했다.

그리고 2031년, 드디어 꿈에 그리던 아이돌 가수가 되었다.

그때, 연구를 하던 중 행성에도 공기가 생겼다.

조서현은 최고의 아이돌이 되어 우주의 다른 행성에서도 공연을 했다.

그러던 어느 날 행성에서 공연을 마친 후, 돌아가는 길을 잃어버려서 한참을 헤매다가 지구에 겨우 돌아간 일이 있었다.

그때 너무 불편해서 공연을 마치고 지구가 어디 있는지 알 수 있는 표지판을 행성에 붙여 놓았다. 그 후로 지구가 어디 있는지 알 수 있었다. 그 후로 안전하게 지구로 돌아갈 수 있도록 집을 만들고 집안에 전화기, 음식, 물을 넣어 두었다.

그 후 2061년 조서현은 세상을 떠났다. 사람들은 그 후로도 행성의 집 안에 집, 음식, 물은 넣어놓고 있다.

조우리가 살아온 삶

조우리는 2013년에 평택의 한 마을에서 태어났다.

그리고 2023년에 조우리는 10살이 되었다.

효덕초등학교 4-1반의 학생이 되었고, 학급 부회장이 되어 4-1반을 제일 좋아하며 즐겁게 생활했다.

그때 당시 조우리는 인스타그램이라는 SNS를 했는데 팬들도 있었고 알아보는 사람들도 있었다.

그리고 조우리는 거북이를 엄청 좋아 했고, 강아지, 고양이 등 동물들도 정말 좋아했었다.

그로부터 20년 후, 조우리는 수의사가 되었다.

그때 당시 상황은 가구가 많이 발전해 출퇴근 할 때 의자에 앉아있으면 리모콘으로 자동차를 운전하듯이 조종을 하며 출퇴근을 했다. 그리고 환경오염 때문에 동물들이 많이 아파서 치료를 받으러 동물병원에 오는 동물들이 많았다.

조우리는 동물을 정말 사랑하기에 공부를 정말 많이 했었고, 노력한 만큼 동물들을 잘 치료했다. 그래서 동물들은 잘 회복해 평화가 찾아왔고 조우리는 돈을 정말 많이 벌었다. 버는 돈을 절약하여 어려운 사람들도 도와주었던 조우리는, 많은 사람들을 도와주고 동물의 아픔을 치료해 주는 유명한 수의사가 되었고, 큰 동물병원을 운영하는 사장이 되었다.

한재은이 살아온 삶

한재은은 2013년 4월 21일에 태어났다. 그리고 한재은이 5살이 되던 해에 햄스터를 키우기 시작했다. 햄스터는 사랑을 많이 받고 자랐다.

그런 햄스터가 2년을 살다가 많이 아파 치료를 받으며 2년을 더 살다 세상을 떠났다.

한재은은 한 달 동안 햄스터 이야기만 나오면 햄스터가 보고 싶어 엄청 많이 울었다. 그래서 한재은은 다른 사람에게도 이런 아픔을 주고 싶지 않아 11살 때 수의사라는 꿈을 가지게 되었다.

그리고 어느덧 20년이 흘러 한재은은 31살이 되었고 2043년도는 남한과 북한이 통일이 되어 있었다. 하지만 한재은에게도 어려움이 있었다. 그 이유는 아픈 동물들이 많아서 치료하는 약재료가 거의 다 떨어져 가고 있었던 것이다. 한재은은 약재료를 아껴서 썼지만 그래도 약재료가 턱없이 부족해서 전 세계를 돌아다니며 약재료를 구했다.

한재은은 석 달을 돌아다니며 약재료 약 150kg를 구했다.

한재은은 다시 돌아가 많은 동물들을 살리고 치료하며 살았다.

서현정이 살아온 삶

이번 노벨상의 주인은 서현정!

서현정은 2013년 2월 21일에 태어났다. 어릴 때부터 운동을 좋아한 서현정은 많이 놀았다. 서현정은 11살 때 책 박람회에 엄마에게 끌려갔다. 이 일이 엄청난 일이었다.

그 책 안에는 의학 용어, 수술 종류가 만화로 풀어져 있었다. 서현정은 그 책을 읽으며 의사의 꿈을 키웠다.

하지만 문제가 있었다. 영 공부 머리가 아니었다. 그중 필수인 영어가 꽝이었다. 그래도 질문을 좋아했다. 질문을 할 때 매우 행복해 보였다. 그리고 상상하는 걸 좋아해서 그 상상을 실행할 때도 있었다. 그러다가 머리에 혹이 난 적도 있었다. 그럴 때마다 할머니에게 혼이 났다.

하지만 중학교 때 철이 들었다. 그래서 공부도 열심히 했다. 그리고 대학교에 들어갈 때 장학금을 받았다. 하지만 의학은 어려웠고 그렇지만 포기하지 않았다.

현정이는 대학교를 졸업하고 3년간 간단한 진료만 했다. 그 후로 수술도 하면서 아이들을 살리기 시작했다. 하지만 자연이 파괴되어서 환경이 나빠졌다. 그래서 사람들은 병에 걸리기 시작했다.

서현정은 고민했다. '어떻게 하면 사람들이 병에 걸리지 않을까?' 서현정은 잠자는 시간까지 줄이면서 연구했다.

3년간 연구 끝에 그 병을 치료하는 약을 개발했다. 그 약은 많은 사람을 치료하고 살렸다.

서현정은 그 외 백신, 치료법도 발견해서 세계적으로 유명해졌다. 그리고 서현정은 국경 없는 의사회의 참석해서 많은 아이들을 살렸다. 그런데 어느 날 세계의 대지진이 일어났다. 서현정은 지진으로 많은 피해를 입은 나라에 다니며 다친 사람들을 치료했다.

그 결과 서현정은 노벨상을 받았다.

그 후로도 많은 사람들을 살렸다.

박은별이 살아온 삶

2013년 10월15일, 경기도 수원에서 박은별이 탄생했다. 가족은 부모님과 언니, 오빠 2명, 박은별 이렇게 한 가족이었다.

은별은 어릴 때부터 잘 울지 않고 항상 웃기만 했다. 그러던 6년 뒤 은별이는 7살이 되었다.

부모님 두 분이 미용사라 은별이는 장래 희망이 미용사였다.

"선생님! 제가 선생님 머리 해줘도 돼요?" "그래"

은별이는 유치원이 끝나 아빠가 데리러 갔다.

"아빠!" "쿵" 은별은 돌 있는 곳에서 넘어졌다.

"으아아" 은별이는 코피가 나고, 입 주변에 상처가 생겼다.

그러던 2023년 은별이가 11살이 되어 그림을 많이 그렸다.

"우와~은별아 그림 잘 그린다."

"아냐. 네가 더 잘 그리는데?"

그림 그리는 걸 좋아했던 은별이는 꿈이 화가로 바뀌었다.

2026년 은별이가 중1이 되었다.

거실에서 그림을 그리고 있었다.

"오 너 그림 실력 많이 늘었다?" "칫! 언니가 더 잘 그리면서 거짓말은" "아고 넘어진 상처 아직도 있네? 고데기에 데인 것도 아직도 있고 그때 언니가 고데기 잘 놨으면 이런 상처 없을 텐데.. 미안해" "아!? 괜찮아! 별로 안 아파"

은별이는 다니던 피아노 학원을 그만두고, 미술학원을 다녔다.

"선생님 화가가 되려면 어떻게 해야 되나요?"

"음.. 은별이가 열심히 노력해서 그림을 그리면 화가를 할 수 있어" "아하 넵!"

2033년 은별이는 21살이 되었고 미대에 다녔다. 같이 다니는 친구가 없어서 조금 외롭긴 했다. 그때 전화가 왔다.

"여보세요?" 친구가 은별이가 다니는 미대에 합격해 다닌다고 했다.

은별이는 대학교에서 그림 실력 1위였다.

"은별아 넌 어릴 때부터 지금까지 노래 잘하는데 왜 가수 안 해?" "사실 나도 꿈이 가수였거든. 근데 부모님이 반대하시는 것 같아서 취미인 그림 그리기가 꿈이 된 거야" "아~ 그렇구나"

2043년 은별이가 31살이 되고,

"아 힘들어 요즘 20년 전보다 환경오염이 심해져서 공기도 사 마셔야 한다니.." "꿀꺽"

"아무 맛도 안 나는데? 어떻게 공기 하나에 1,000,000원 일수가 있지? 환경오염이 줄어들게 하려면 어떻게 해야 될까? 전단지를 만들자!"

은별이는 정성껏 그림을 그리고 글을 썼다. 그리고 사람들이 그걸 읽고 행동했다.

"제발 일회용품 사용을 줄였으면 좋겠다"

은별이 전단지 하나 덕분에 환경오염이 많이 좋아지고 있었다. 길바닥에 쓰레기 버리는 사람이 없었다.

사람들이 『미대 박은별』을 모르는 사람이 거의 없었다.

은별이는 상도 많이 탔다.

그리고 언니와 같이 살았는데 언니는 제빵사가 되었다.

"오 우리 은별이 덕분에 공기도 안 사먹어도 되고 고생했어용"

"고마워! 그리고 언니 일회용품 많이 쓰지마!" "알겠어"

"근데 나 궁금한 거 있어 언니 왜 결혼 안해?" "흠..야 너도 안했잖아" "장난이야"

은별이 덕분에 대한민국이 깨끗한 나라가 됐다.

이예빈이 살아온 삶

이예빈은 2013년에 태어났다.

이예빈은 어릴 적부터 좋아하는 가수의 영상을 보고 연예인을 꿈

꿔왔다. 그래서 공부도 열심히 하고 춤도 열심히 연습했다.

그러던 2033년, 31살이 되던 해 이예빈은 연예인이 되었다. 하지만 그때는 코로나33이 발생했다. 코로나 바이러스가 다시 부활한 것이다.

이예빈은 그동안 번 돈으로 기부를 했다. 그래서 기네스북에서 세상에서 가장 기부를 많이 한 사람이 되었다. 그리고 또 이예빈의 노력 덕분에 코로나도 완전히 소멸되었다.

그리고 60살이 되던 해, 이예빈은 암을 극복할 수 있는 약을 발명했다. 바로 「정의의 이름으로 용서하지 않겠다!」라는 약을 발명했다. 그래서 이예빈은 최초로 암을 극복할 수 있는 약을 만든 자로 신문 기사에 나왔고, 또 노벨상을 받았다.

이예빈은 또 남북통일을 위해 재산을 몽땅 기부했다.

이예빈은 그렇게 자신이 살아온 삶에 만족감을 느끼며 밤하늘의 별이 되었다.

✿ 작가들의 말

「반짝반짝 빛나는 별! 우리 4학년 1반 작가님들!

4학년 생활, 글쓰기 활동 등에 대한 나의 생각 한 마디씩

부탁해요!」

☆ 강 건 - 나는 주제 글쓰기가 재미있었다.

☆ 권혁재 - 놀 땐 놀자.

☆ 박시우 - 즐겁게 놀아라.

☆ 박우솔 - 4학년은 정말 즐겁고 재밌다.

☆ 이동운 - 여러 지식을 쌓아 현실에 집중하세요.

☆ 이지원 - 얘들아, 4학년 생활하면서 고마웠어.

☆ 이한율 - 잘 지내.

☆ 정민우 - 그림을 잘 그린다.

☆ 조현승 - 4학년 생활이 재밌었고 선생님도 착하셔서 좋았다.

☆ 김수연 - 주제 글쓰기를 쓰기 싫었지만 너무 재미있었다.

☆ 박수진 - 다음 학년에도 친하게 지내자♡

☆ 박유진 - 좋은 추억 남겨줘서 고마워♡

☆ 송윤주 - 4-1 친구들과 5학년 때도 함께 만나 친한 친구로 살고 싶다.

☆ 안지현 - 4학년 주제 글쓰기를 하면서 다양한 경험을 해서 좋았고

나는 글쓰기가 좋아진 것 같다.

☆ 이서윤 - 4학년 생활 즐거웠어♡

☆ 이한설 - 2023년 동안 글쓰기 활동을 해 많은 지식을 얻었다.

　　글쓰기 활동을 해서 재미있었다. 이 책 많이 읽어줘~ 얘들아!

☆ 조서현 - 어렵지만 포기하지 않으면 기분이 좋아진다.

☆ 조우리 - 글쓰기는 연습하면 좋아집니다. 글쓰기 연습을 잘 해보세요!

☆ 한재은 - 글쓰기, 참 힘들었다. 내년 4-1반도 고생해라.

☆ 서현정 - 4학년 2학기 동안 재밌고 신났어요!

☆ 박은별 - 친구들아, 4학년 동안 재미있었어! 꼭 다음에도 같은 반 되자!

☆ 이예빈 - 공부 열심히 해라!

[우리들의 모습]